José de Jesus Barreto

Treze Contos Reais

José de Jesus Barreto

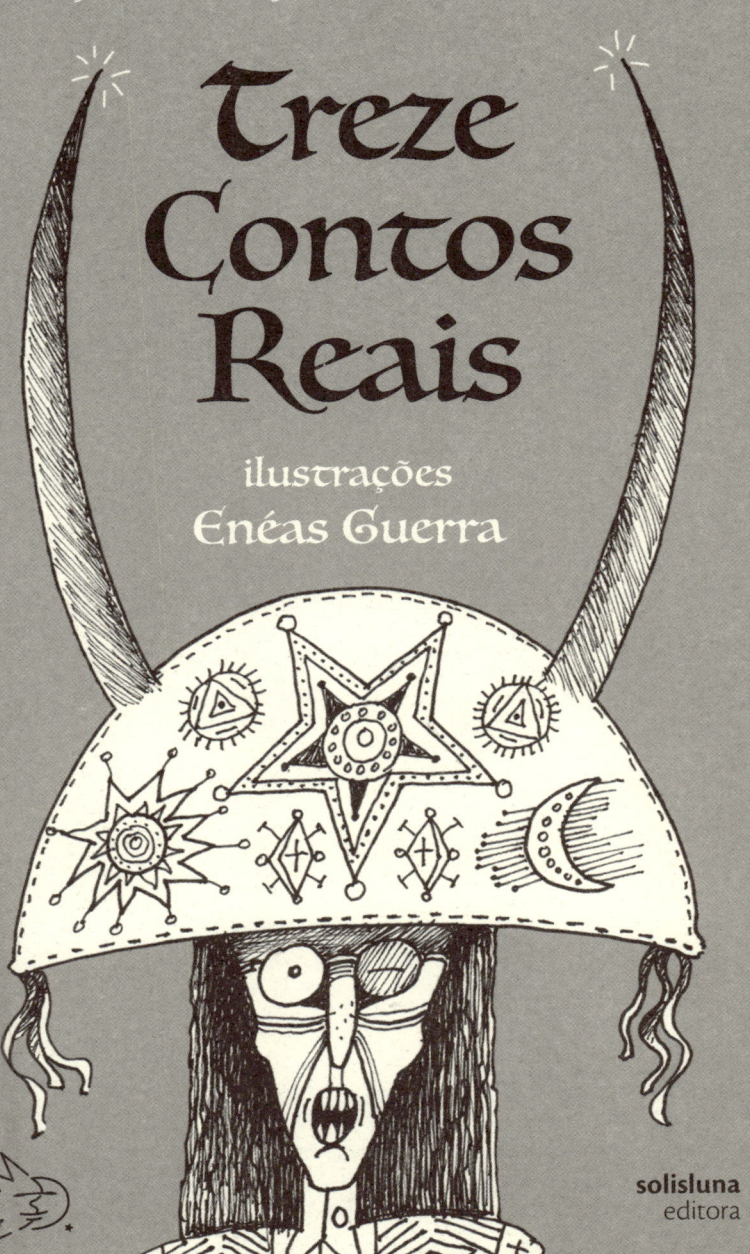

Treze Contos Reais

ilustrações
Enéas Guerra

solisluna
editora

Treze Contos Reais
Copyright © 2017 José de Jesus Barreto

Edição
Enéas Guerra
Valéria Pergentino

Projeto gráfico e design
Valéria Pergentino
Elaine Quirelli

Capa
Enéas Guerra

Dados Internacionais de Catalogação na Publicação (CIP)
Vagner Rodolfo CRB-8/9410

B273t   Barreto, José de Jesus, 1948-

        Treze contos reais / José de Jesus Barreto ; ilustrado por
Enéas Guerra. - Lauro de Freitas - BA : Solisluna, 2017.
        96p. : il. ; 12,5cm x 19cm.

        ISBN: 978-85-8905992-3

        1. Literatura brasileira. 2. Contos. 3. Literatura do sertão.
4. Literatura baiana. I. Guerra, Enéas. II. Título.

                                              CDD 869.8992301
2017-102   CDU 821.134.3(81)-34

        Índice para catálogo sistemático:
        1. Literatura brasileira : Contos 869.8992301
        2. Literatura brasileira : Contos 821.134.3(81)-34

Todos os direitos desta edição reservados à Solisluna Design Editora Ltda.
55 71 3024.1047 editora@solislunadesign.com.br www.solisluna.com.br

BANCO ZAGUEIRO CENTRAL
13
066684090245
13
TREZE CONTOS REAIS

REPÚBLICA FEDERATIVA DOS CONTOS
13
13
CONTOS
REAIS
REPÚBLICA

Os acontecidos, aqui contados, carregam desse viver o espanto. O riso e o pranto.

Dedico esses escritos aos filhos amados, tão diferentes: Bethânia, a que chegou primeiro, desbravadora;

Marco, pedaço de vida tirado de mim cedo demais; Bárbara, relicário de encantamentos; Théo, caminheiro de acolhimentos.

Tomem a tenência de desvendar e revelar os segredos, liberando aos ventos essas palavras avoadeiras.

Com a benção da Mãe Zuite e do Pai Zé.

No reino do deus tempo, o acontecido vira lembrança e a imaginação pura realidade.

"Não desça os degraus do sonho
Para não despertar os monstros.
Não suba aos sótãos – onde
Os deuses, por trás das suas máscaras,
Ocultam o próprio enigma.
Não desças, não subas, fica.
O mistério está é na tua vida!
E é um sonho louco este nosso mundo..."
Mário Quintana

Sumário

Laroiê! 13
Visagem 19
Velha Mangolê 27
Caculé 29
Passarinho 33
Badogue 41
Pedreiro 45
Zefa da Trouxa 49
Malingo 55
Fastio 61
Sem Nome 63
Pingos urbanos 67
Lampião 69

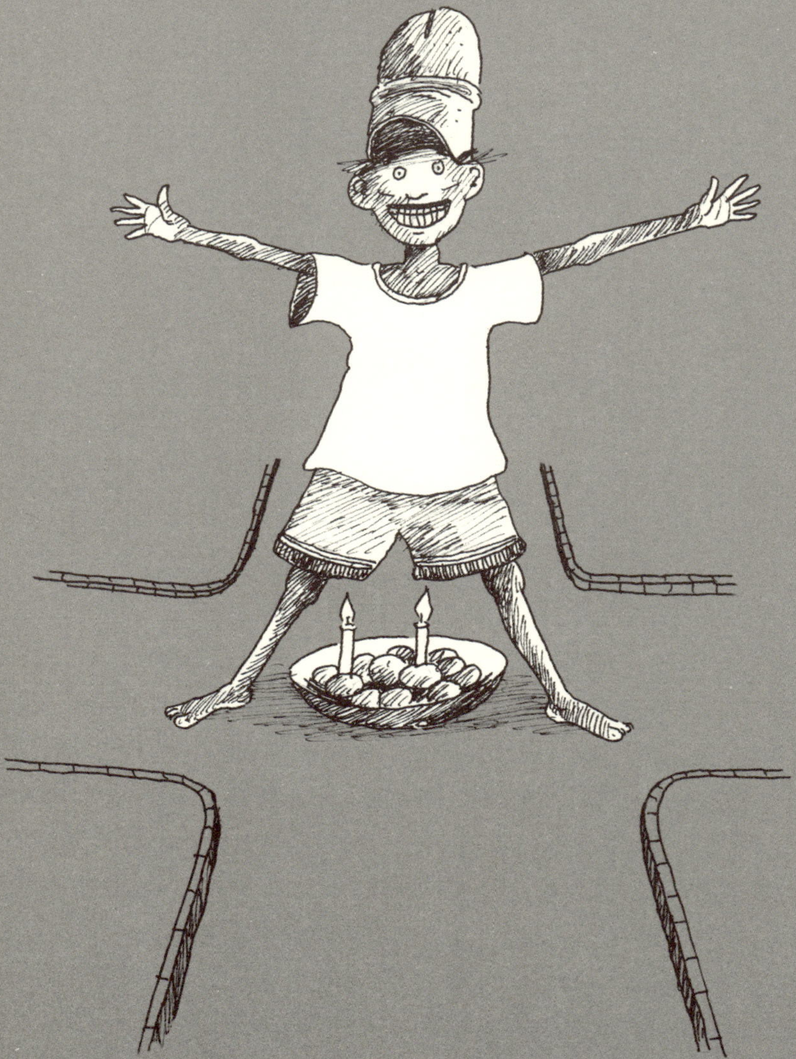

Laroiê!

Veio à luz num parto sem dores aos berros, choro que mais parecia uma gaitada, os olhinhos penetrantes acesos, e quando avistou a mãe piscou primeiro. Os dentinhos apareceram aos cinco, já falava aos oito meses e andou aos nove, um assombro para os adultos. O primeiro nome que pronunciou, com todas as letras e clareza foi 'ga-to', a brincar com o bichaninho da casa, puxando-lhe o rabo.

Aprendeu a ler e escrever praticamente sozinho, antes de qualquer escola, futucando, espiando e garatujando revistas, papéis e paredes, a brincar com lápis, giz, canetas...

O que restava ao alcance apanhava e saía correndo a rabiscar tudo, imitando letras, desenhando figuras, falando sozinho como se conversasse com alguém. Era assim desde nanico, sem gosto por escola, mas só de ver tudo aprendia. Também nunca foi de muita pergunta, mas era de prestar atenção, nada lhe passava despercebido, nem um besourinho que entrasse pela janela.

Bom de boca, mamou à beça e cresceu comendo de um tudo, até farofa de dendê, rindo da própria cara melada do azeite amarelo. Miúdo, já pedia: 'Quero merenda', e saltitava ao receber presentes, um trocado, moedinha que fosse.

Foi crescendo como um bom dador de recados, divertia-se com intrigas e pirraças, artimanhoso, curtidor, um danado sedutor.

As tias adoravam ele, que descaradamente as bolinava. Era safado também com as priminhas, as vizinhas, já que irmãs não tinha. Se botava em ousadias às gargalhadas e mostrava o pintinho duro, pra deleite delas todas, as dindas mais afoitas a brincar de piu-piu.

– Esse menino não presta, dizia uma delas, cheia de chamegos pra cima do sobrinho doidinho e apaixonante.

– Esse guri vai me dar é trabalho, falava o pai cheio de orgulho.

– Que menino traquina é esse que fui parir? –, perguntava-se a mãe de coração inflado.

– Affe! Esse é mesmo levado da breca!

Ficou taludo desse jeito, retado. Às vezes virado num estupor, oras divertido, manhoso, sabido e sagaz. Lia jornal, ouvia rádio: jogo, noticiário. Gostava de bola, do baba, de time vermelho e preto, batuques, roda de capoeira, lá e cá... e não podia ver um fósforo. Corria o risco de incendiar a casa, adorava tocar fogo, pelos cantos, uma condenação.

O padrinho lembra que no dia do batizado, uma exigência da vó carola, a criaturinha deu língua ao padre, quis mijar na pia batismal, cuspiu o sal que lhe puseram na boca, deu tapa na vela acesa e gritou um não bem alto, que ecoou nos vitrais da igreja, quando lhe fizeram um sinal da cruz na testa.

Deram-lhe o nome cristão de Luca, sugesta do tio/padim, mas aquele Luquinha não era gente. Tinha vez que parecia um espritado.

Volta e meia sumia como que por encanto, para desespero da família. Até que chegasse a notícia de alguém tê-lo visto adiante, pelas encruzilhadas, a brincar, corrupiando.
"Esse menino cega a gente', repetia a mãe, sem dar conta das estripulias daquele queixinho empinado.

Certo dia, injuriado com as regulagens e cobranças dela, que o queria no cabresto, Luquinha jurou perante o tempo, numa noite de lua cheia, que quando crescesse um pouco mais viveria a céu aberto, fora de casa, a correr pelas trilhas sem fim do mundo. Ninguém entendeu. Ele rematou:

Não sou do contra, nem a favor. Sou aquilo que sou.

Sou o incerto, o incesto, sou o acidente, a dúvida.

E se foi. Alguém duvida?

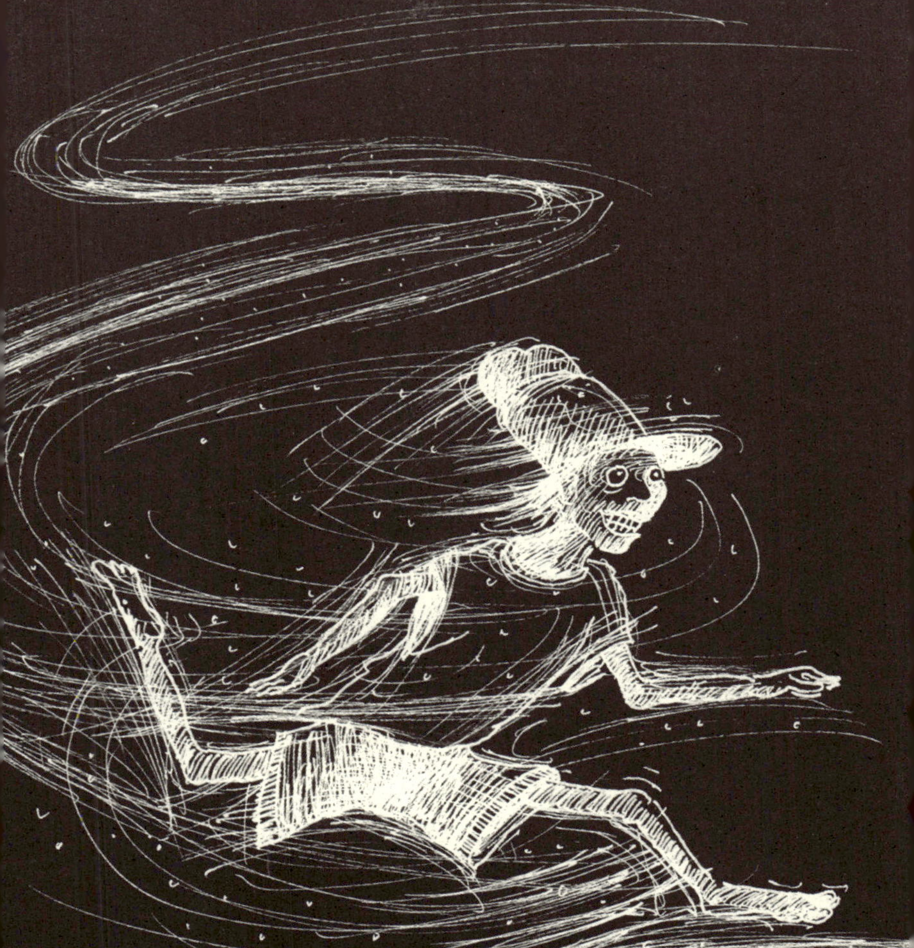

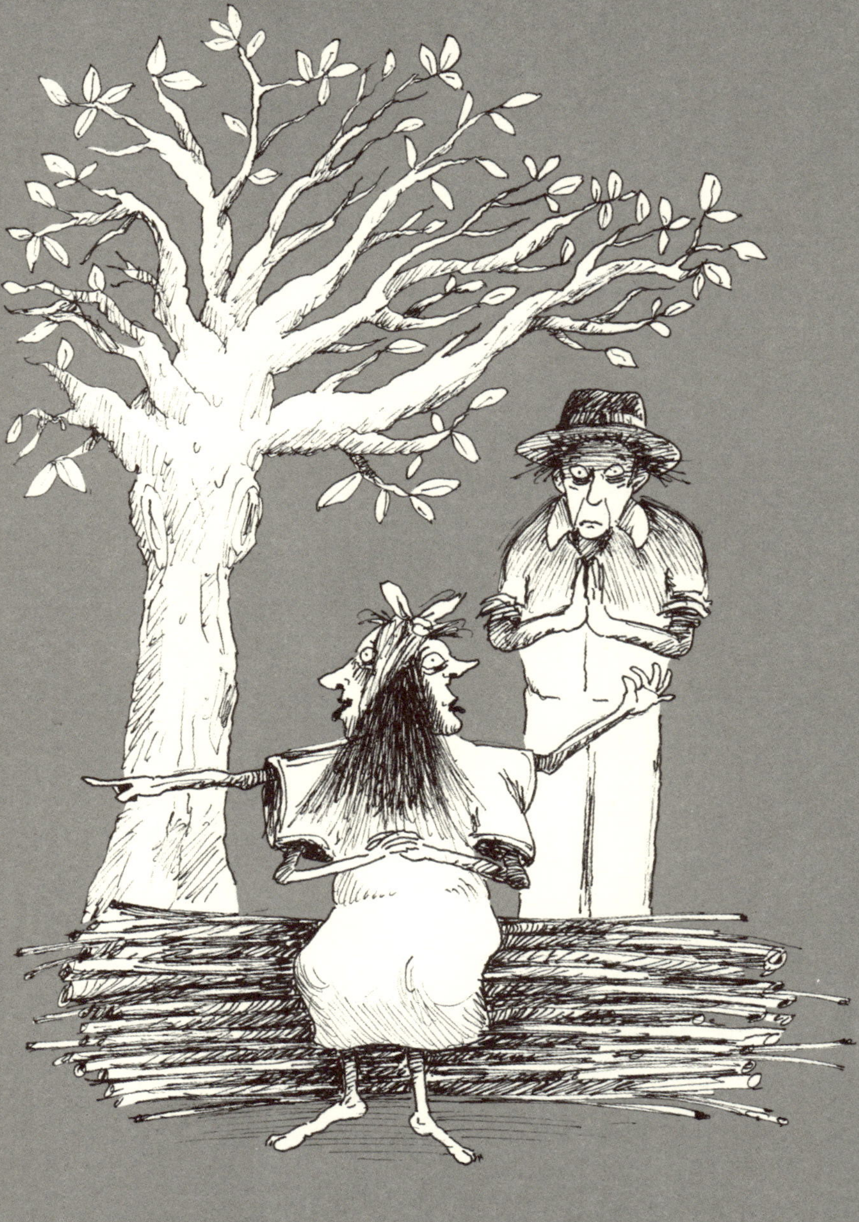

Visagem

Depois de uma morna manhã de outono ditada por obrigações e oferendas no terreiro de Mãe Pulquéria, Tio Bié embrenhou-se na mata em busca de folhas e mistérios. Andou, andou...

E foram tantos os entretenimentos e espantos nesse caminhar solitário enfeitiçado por résteas, sombras, cantos de aves invisíveis, assovios, murmúrios, soprar de ventos, sacudir de galhos, cipós, espinhos, cheiros, cores, tons, formatos, tessituras, barulhinhos, sustos e toda sorte de encantamentos d'alma... Que Tio Bié até esqueceu-se do tempo e do destino, perdido no desconhecido, o reino das entidades das florestas e dos olhos d'água do Recôncavo.

Quando deu por fé, horas idas, o sombreado do entardecer já borrava os tons de verde e se deu conta de que nem tinha ideia ou tino dos caminhos de volta.

Pra que bandas estaria naquele instante? O coração disparou com os pensamentos a fuçar o tenebroso medonho. Varar a noite no negrume da mata era por demais arriscoso. Já sentia o eco do breu na alma, um assombro das encruzilhadas da perdição lhe tomando por inteiro, quando...

Não sabe como, feito um bafejo de luzeiro, percebeu uma presença às suas costas. Um leve barulho de gravetos o fez voltar-se assustado. Virou-se e, até hoje não compreende como e de onde apareceu, ali, a poucos metros, acocorada, encurvada sobre um feixe de galhos finos que arrumava com a delicadeza com que o guaxo faz seu ninho, estava uma velha cabocla em trajes de mateira, magra, um lenço claro a prender-lhe os cabelos longos e lisos quase encanecidos, cachimbo na boca, absorta em seu que fazer.

Quase estatelado, respirou fundo procurando ar e chão, e sem muito pensar falou:

– *Boa tarde, senhora!*

Ela ergueu-se um pouco, fitou-lhe com penetrantes olhos negros miúdos e respondeu soltando uma baforada do cachimbo:

– *Boa...*

– *A senhora por acaso sabe pra que bandas fica o terreiro de Mãe Pulquéria?*

– *Pracolá, linheiro... A cabocla disse, apontando para o lado onde ele estava de costas.*

Virou-se, então, para se certificar da trilha de volta que deveria seguir para chegar em casa e, num piscar de olho, voltou-se para agradecer pela informação, mas... quá!

Cadê ela? Nem sombra, nem sinal do feixe de lenha, nem um chape de pisadas nas folhas secas, nada! Somente no ar um leve odor da fumaça do cachimbo, esvaindo-se.

E uma sensação de assombro arrepiou-lhe os pelos todos, as pernas bambas, as carnes tremelicando por dentro, como se acometido de estranho torpor por ter avistado algo de outro mundo. E não seria?

Antes que o medo lhe paralisasse, movido por uma estranha e repentina força, Tio Bié danou-se

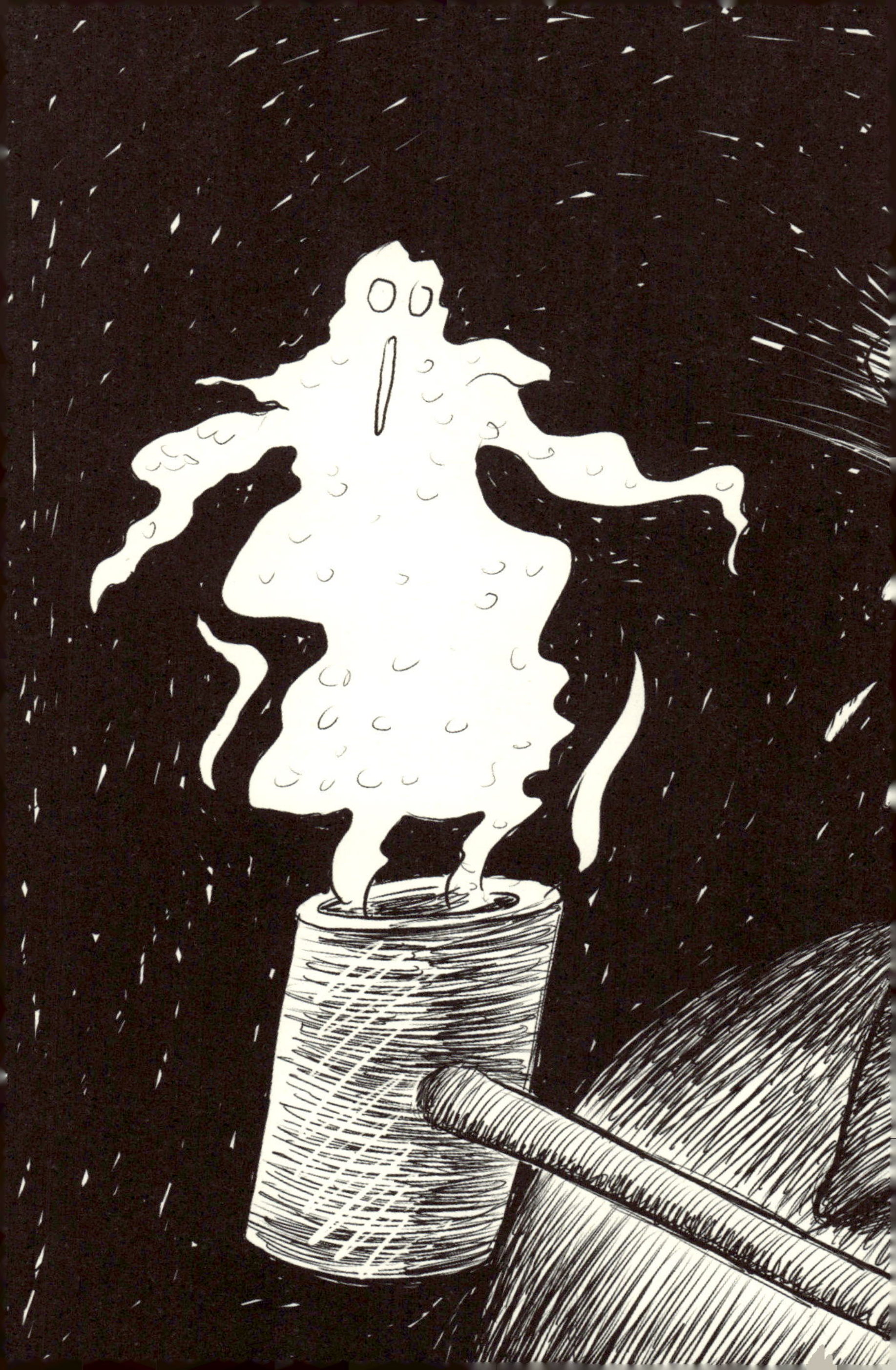

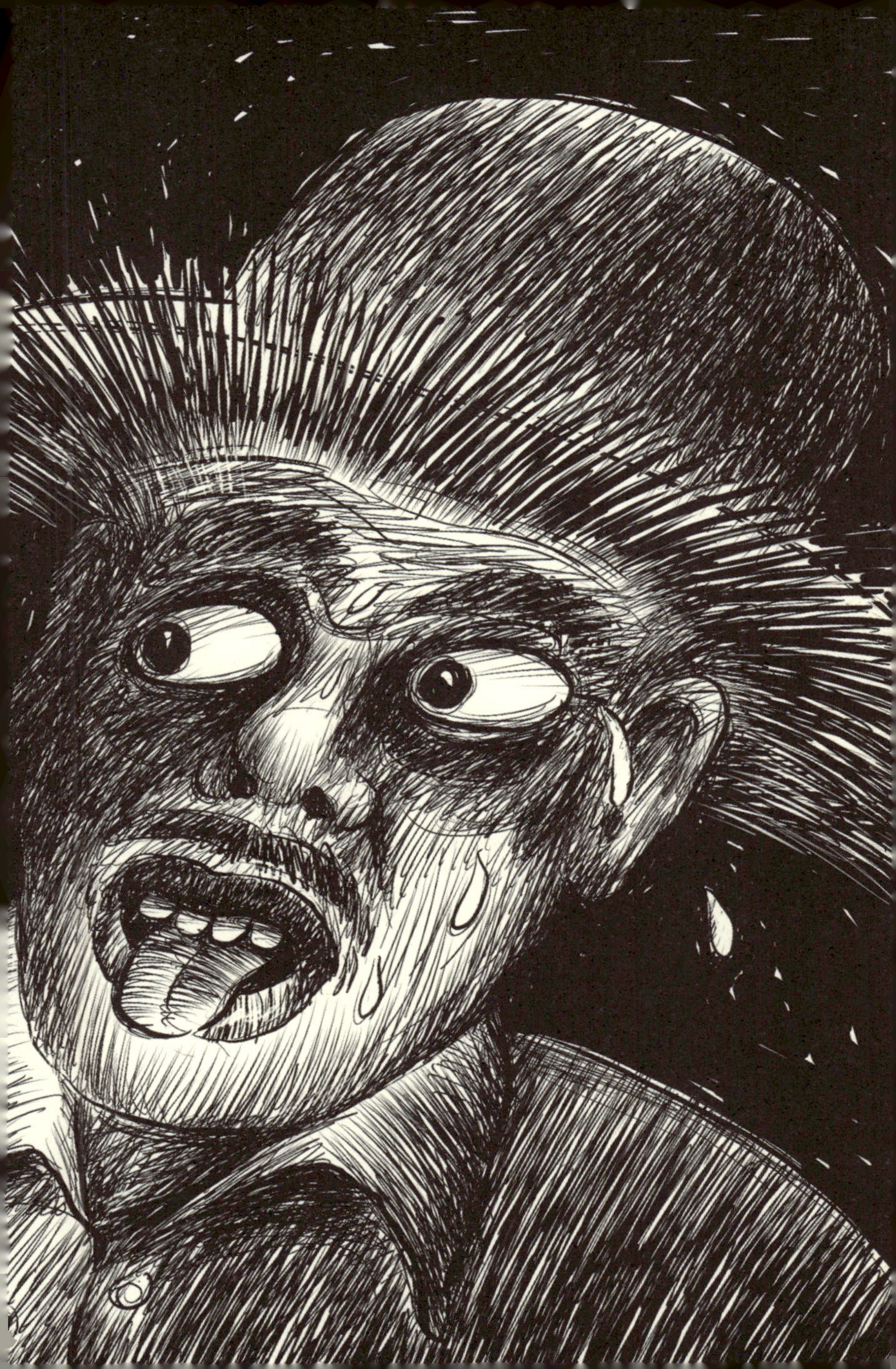

a andar, o mais depressa que pode, na direção indicada. Era preciso varar a trilha enquanto ainda podia enxergar as passagens no emaranhado da mata.

E enquanto caminhava a cabeça martelava:
— Teria sido real aquela visão? De onde surgira aquela cabocla velha? Apareceu do nada, evaporou-se no tempo, num átimo...

Seria uma alma doutro mundo?

Um anjo, uma entidade, talvez, uma visagem certamente, daquelas que lhe assombravam na infância quando ouvia dos mais velhos narrativas de 'aparições', aqui e ali, contadas na boca da noite, em voz baixa 'pra não assombrar o sonho das crianças' no sono das madrugadas frias.

Tio Bié já não tinha mais um fiapo de medo quando, sem mais nem quê, destampou na beira do riacho da aldeia, onde o povo apanhava a água de beber, lavar, regar os bens, água limpa que também servia aos cuidados do sagrado no terreiro de Mãe Pulquéria.

*

O poente tinha uma cor violeta, dezenas de estrelinhas já piscavam no céu enegrecido e um lambisco de lua, adiante, o fez lembrar o piscar de olho da velha cabocla lhe indicando o rumo da volta. Aquela visagem recôncava nunca mais lhe sairia da mente.

Sim, agora tinha a certeza de que 'visage' não era fruto da imaginação dos mais velhos, estória da carochinha, assombração de criança. Existe visagem. Ele viu, sentiu, conversou com ela, mas...

Nunca conseguiu verbalizar aquela sua vivência, jamais falaria dela com alguém, nem mesmo com Mãe Pulquéria, não conseguia, travava. Coisa sua. Temia também as chacotas, ser chamado de mentiroso... ou de maluco. '*Ah, invencionice do tio doido*'. Afinal, quem hoje em dia ainda acredita em visagens?

Mas nas matas e nas águas do Recôncavo entes encantados habitam. E quando acham por bem aparecem.

Há quem veja.

Creio.

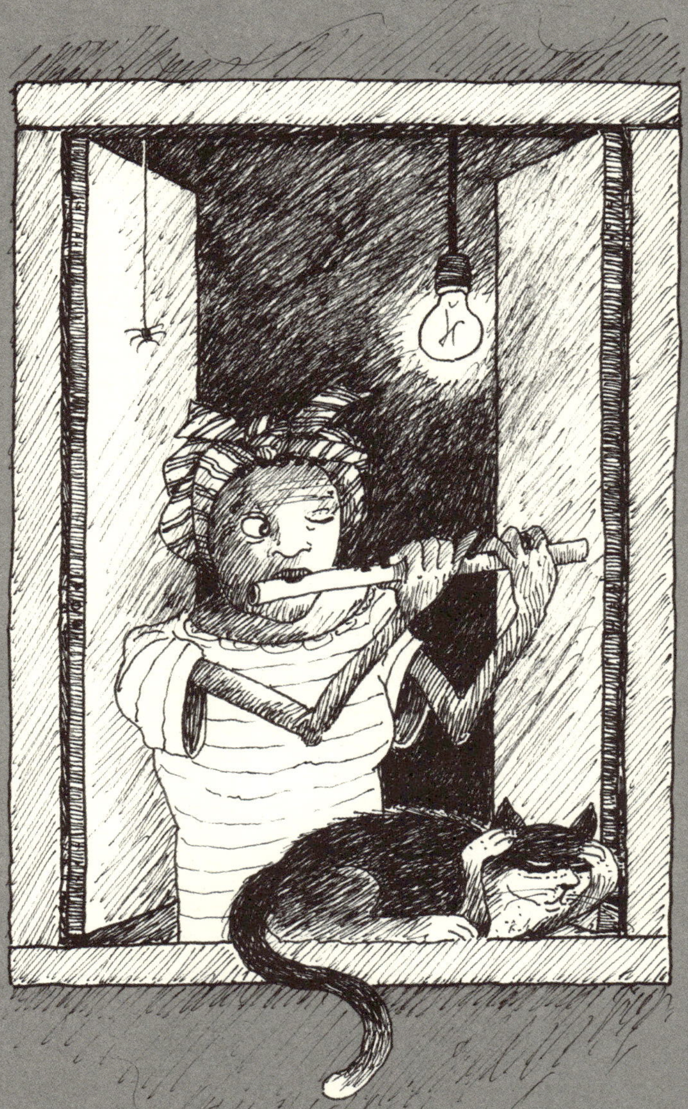

Velha mangolê

Na soleira da janela da toca de pedra e barro,
a velha de rosto crespo e torço cor dos cabelos
tinha a gola puída, os olhos sem faísca desfocados
e ares de nem mais pertencer a este mundo
Mas tocava uma flauta tipo doce e crua
– lábios enrugados, dedos tortos, unhas sujas –
feito um arcanjo, uma bruxa, um elfo, um serafim.

...Tão somente uma negra mulher a soprar
suas dores, sonorizar quereres e desprazeres
d'alma, sem aflição.
Parecia em êxtase, enquadrada na janela,
flautando ao tempo
Passarinhando desalentos
Solitária e plena.

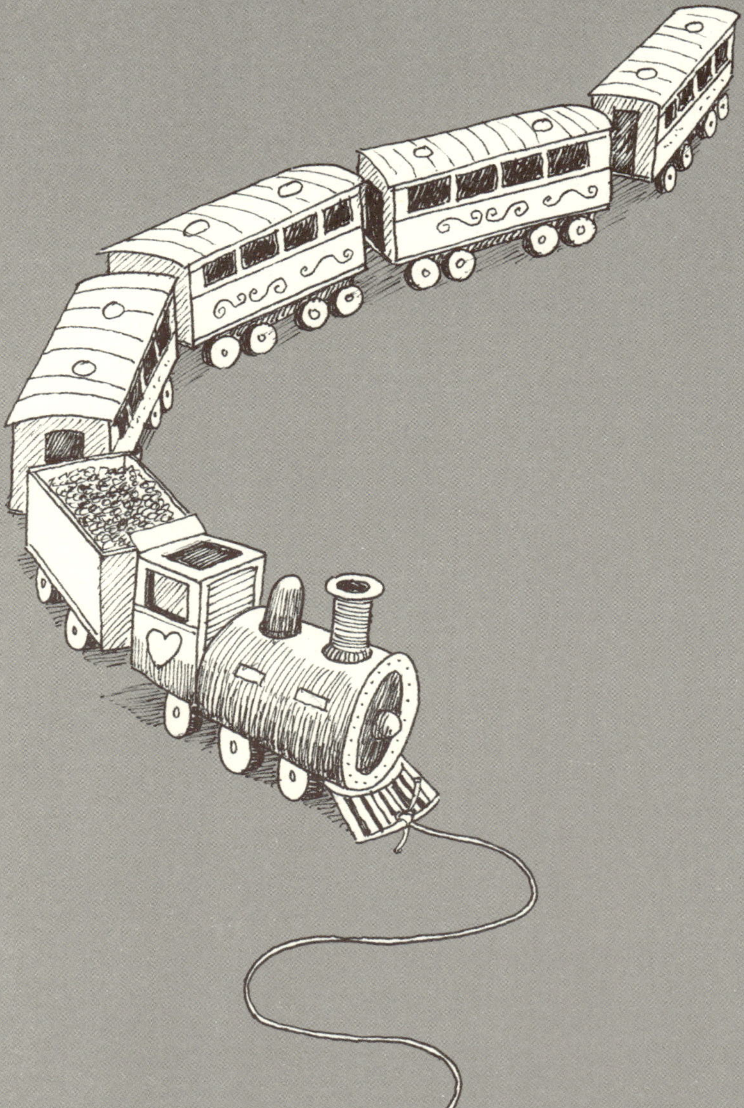

Caculé

— De onde vem, pra onde vai o trem de Caculé? Vai pra Monte Azul! Respondia o maquinista suarento acionando o apito do trem e acenando pela janela da locomotiva 'maria fumaça', nos delírios da infância no Subúrbio Ferroviário, os encantados comboios mistos de carga e passageiros passando a cada cinco minutos, bem próximos, arrebentando os ouvidos.

Caculé, Caculé... onde fica Caculé?

Gostávamos mesmo era da sonoridade da palavra, o acento forte na última sílaba ecoando nos ouvidos feito o apito do trem: 'Uééé!!!'

Caculé quer dizer o quê?

O trem de ferro se foi. Maria Fumaça sumiu com o advento do diesel, das locomotivas eletrizadas, os comboios rarearam até se perder de vista na longitude do tempo. No Subúrbio, aterraram alagados, do lado de lá dos trilhos, onde encostavam saveiros abarrotados; as palafitas viraram bairros populosos e problemáticos, o asfalto foi passando por cima da linha, a pioneira fábrica dos Fiaes caiu no abandono, acabou-se o baba na laminha do mangue em maré baixa, nem sei mais se rola o 'casados x solteiros' no campo das pedreiras do Lobato. Pior, não há mais lugar para a horta de Tio Zezito onde apreciávamos os passarinhos brincando no brejo entre flores e verduras frescas... Outros tempos.

*

Cadê o trem de ferro passante, aquele trem de Caculé?

Nunca me saiu da memória, muito mais pelo nome sonoro do que pelo comboio em si, igual a tantos outros que passavam, tantas janelinhas ligeiras, sempre saindo ou chegando na Estação da Calçada. Tinha o trem de Mapele, o de São Félix, Alagoinhas, Juazeiro, Aracaju, Iaçu, Montes Claros, Caculé...

*

Descoberta tardia: Caculé é uma cidade pequena do sudoeste baiano, Serra Geral, naco da Chapada Diamantina, quase Minas. Terra do cantor Anísio Silva, tempos de boleros-sofrência dos bons, e da estação da Via Férrea Federal da Leste Brasileira, parada obrigatória.

Pra onde foram a ferrovia da Leste, os resfôlegos das máquinas, a fumaça, o apito... Onde se acoita o passado.

Aprendi depois, com gosto, que Caculé era o sobrenome banto de um escravizado fugido batizado Manoel. Chegou a organizar um quilombo no sítio de águas doces. A lagoa de Manoel Caculé deu origem ao povoado de Caculé.

*

Sobre o passado e os trens, falou um matuto amineirado da região:

— Os trem, seo moço, foi engolido pelas carreta de estrada. Caculé virou um trem, qualquer coisa.

Que significa Caculé?

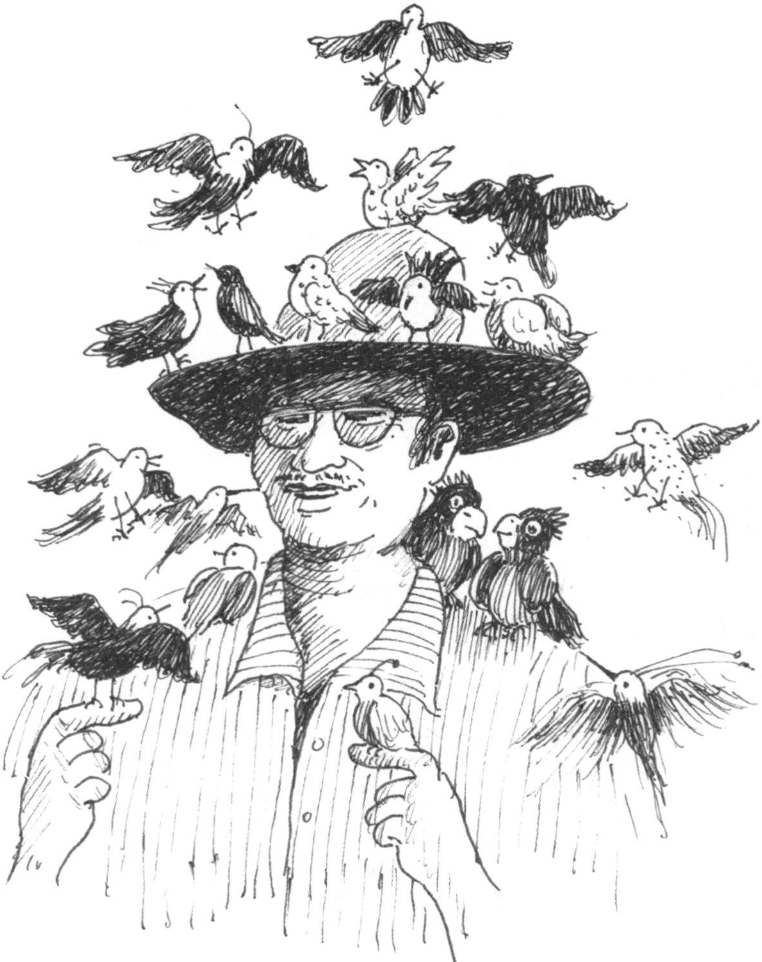

Passarinho

Tio Zezito era um tico de gente. Miudinho, um tico-tico. Assim me lembro dele, eu nanico. Acordava com os passarinhos, anunciando o amanhecer.

Criava muitos, em gaiolas que eram como casinhas, de todo tipo e tamanho, e em poleiros fabricados por ele, à mão, com arte. Gaiolas-casinhas penduradas nos alpendres, sob o telhado das varandas, nas soleiras das janelas, pregadas nas paredes do lado de fora da morada, morada da família, cercada de pássaros, uma vida animada pelos solfejos e encantos de trinados e penas multicores.

Era uma casa de gente simples, de subúrbio, localizada no espaço mais saliente de uma baixada, a Baixa do Cacau, por onde corria um riachinho, criando um brejo.

Nesse solo fértil plantavam e colhiam-se flores – gérberas, rosas, cravos, copos de leite, magnólias, girassóis, angélicas, lírios, margaridas, crisântemos, palmas de Santa Rita... e quantas outras mais de tantos tons e formatos –, e mais agrião, couve, alface, coentro, salsa, cebolinha, tomate, pimentão, jiló, quiabo e manjericão, cenoura, pepino, chuchu, pimentas... e frutas de muitas espécies, como jenipapo, jaca, banana, araçá, manga, laranja, lima e limão, jambo, carambola, pitangas...

Um jardim de delícias! Assim era a horta de Tio Zezito, uma referência no Lobato. E mais que tudo, naquele espaço de éden manavam aconchego, graças, sorrisos... que germinavam nas criaturas, feito sementes.

Os passarinhos faziam parte desse mundo colorido, de tantos verdes com cheiro de quereres e regalos dos céus.

Tinha papagaios na janela que diziam
coisas de fazer rir, periquitos assanhados,
um sofrer de cor rubra que trinava o hino
nacional e dava *fiu-fiu* pras moças que vinham
à horta comprar verduras e dava bom dia, boa
tarde pros moços que passavam em direção
a uma estrebaria e cocheira que ficavam mais
adiante, no sopé da escarpa, onde se vendia
leite de vaca puro, aos baldes e litros,
para o consumo diário.

E mais azulão, um pássaro preto que repetia
os assovios humanos, cardeais de cabeça
vermelha, muitos canários em vários tons de
amarelo que dobravam os acordes dos chilreios
num só fôlego, coleirinhas ou viuvinhas, curiós,
pintassilgo, papa-capim, assanhaço...

No primeiro pio da madruga, Tio Zezito já se
levantava. Cumpria a rotina do asseio matinal,
lavava a boca e lá se ia cuidar deles, seus
pequeninos, sem pressa, feito uma oração.

Limpava as bostinhas e lavava o piso das
gaiolas, trocava a água da vasilha, soprava

as palhinhas do milho-alpiste (mistura de alpiste e painço) nos cacos de comida, às vezes e para alguns servia grãozinhos de milho pisados e, enquanto fazia isso, sem vexames, ia puxando prosa com cada um deles, cada pássaro com sua linguagem, um arrulho, um psiu, um assobio, um trinado de bico, um silvo, um fraseado, um sotaque diferente, um carinho na cabecinha, um roçar nas penas, um limpar de unha...

E assim por diante, um por um, cada qual com um jeitinho próprio correspondente; tinha sempre um lero com os papagaios, o solfejo com os canários, as palavrinhas com o sofrê, os assovios iguaizinhos aos do curió, do coleirinha, do sanhaço serelepe... Desse modo cumpria o ritual matutino e se divertia, saudava o dia que nascia, sob sol ou chuva. Tio Zezito renascia a cada amanhecer. Era de uma felicidade passarinheira.

Ah, isso era o mais cativante: Após cada gaiola cuidada, cada bichinho acariciado,

Tio Zezito ia abrindo as portinholas e as deixava assim, abertas, de forma que as aves pudessem sair para passear e se divertir, se assim bem o quisessem.

E não faltava o que fazer do lado de fora. Esticar as perninhas, cofiar e bater asas, trocar pios entre elas... Tinha água boa de beber e tudo de bom para comer na horta, e podiam brincar de aprender com as rolinhas fogo-pagô, as lavandeiras, os sabiás de rabos compridos, os bem-te-vis altaneiros, os brejais, e podiam ciscar com as galinhas, pintar e bordar de pios com pintinhos trapalhões, bicar minhocas e besourinhos pelo chão úmido, esvoaçar com as borboletas sem prumo.

Era uma grandeza a belezura de quantas tonalidades de cores, farturas de coisas e vidas, de encontros, de cantorias, de voos, harmonias e liberdades tão plenas e sutis.

No fim da tarde, antes do escurecer do tempo, chegava a hora do cansaço do mundo,

e Tio Zezito jamais esquecia do chamado para
o recolhimento, o acolhimento.

   Então, antes de a boca da noite se abrir pra
engolir toda a claridade do sol, postava-se do
lado de fora da morada, ao lado de Tia Diomar,
que só espiava, e dos filhos pequenitos Maria
e Jorge que já iam aprendendo, e punha-se a
chamar os passarinhos queridos todos, um
por um, cada um a seu jeito como se tivessem
nomes, com sua linguagem própria, aos trinos e
garganteios, pios, assovios, sinais, psius...
E as avezinhas salientes e confiantes vinham se
chegando, uma por uma; algumas iam direto
para suas gaiolas, as casinhas de dormir, a
se proteger dos bichos do escuro; outras em
arrulhos até pousavam nos dedos de Tio Zezito,
bicando de leve, espiando nos olhos, querendo
agrado, aconchego, pedindo abrigo...

   Tio Zezito era um talisco, pra passarinho
só lhe faltavam as asas de pena para voar.
Mas a gente, menino, sabia bem que ele voava

como suas avezinhas libertas. Tio Zezito passarinhava.

Um dia distante, bem longe dos olhos de todos, ele se foi. Dizem que voou para as bandas do além, onde não se sabe o que há.

Teve passarinho que chorou.
Tio Zezito teria virado anjo do céu.
É assim que me lembro dele.
Tio Zezito. Um passarinho.

PS: *Para ser lido em voz alta, a crianças de todos os tamanhos... um conto pra meninos e meninas. Assim deve ser apreciado.*

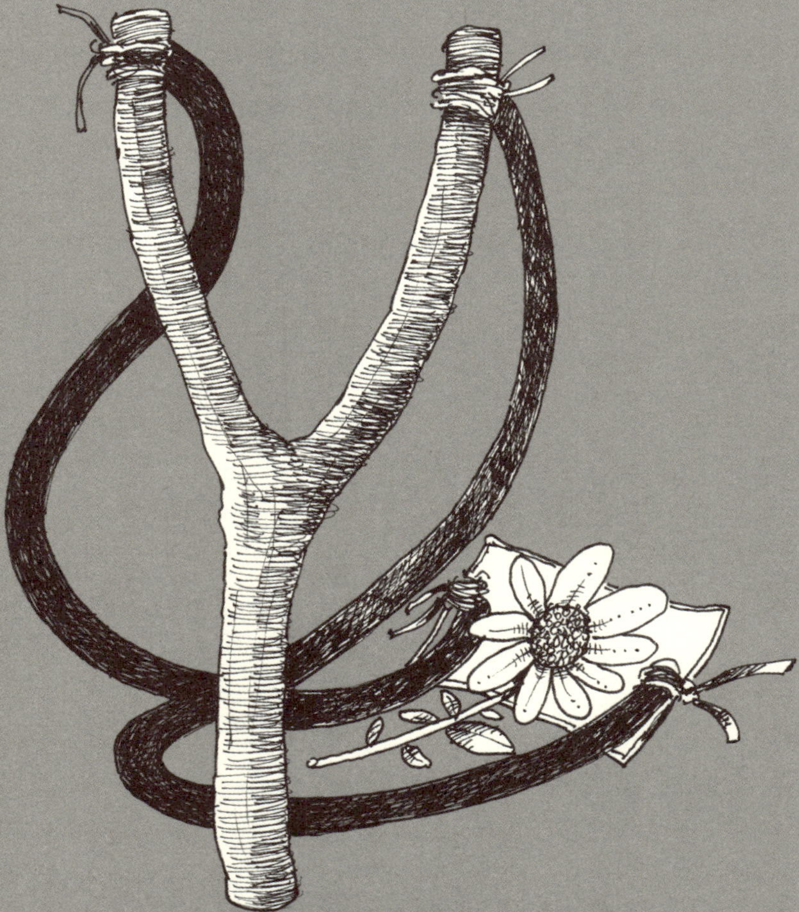

Badogue

Sentado no passeio, à porta de uma farmácia, o preto velho de raros cabelos brancos e gengiva à mostra ri enquanto pastoreia um saco plástico de tralhas ao lado, e remenda um velho badogue com tiras de pano sujo. Olha-me, olho-o.

– *Pra que esse badogue, meu véi?*
– *Pra tanger os muleque!*
– *Quem?*
– *Eles quer me roubar, já me roubaram... anda tudo solto pelaí.*
– *E cadê as balas?*
– *Aqui no bolso...*
Mete a mão e me mostra umas cinco pedrinhas do tamanho de bolas de gude.

— *Já acertou algum?*

— *Eles que não se meta a besta...*

Ói, se tiver alguma coisa em casa que num preste mais, traga pra mim...

— *O quê, assim?*

— *Gravadô véi, radim de pilha, chaveiro, peça, cadeado, traquitana... essas coisa... ói aqui!*

Mostra-me o saco preto, ao lado, cheio de coisas imprestáveis, sua riqueza.

Só então percebi que o velho atava poesia com seu badogue. E meu coração encheu-se de ternura com seu riso de vovô.

Guardo pendurado em casa um bom badogue comprado numa feira do interior. Inútil, só pra me recordar dos tempos de criança badogando lagartixas, tadinhas...

Vou levar pra ele. E perguntar seu nome.

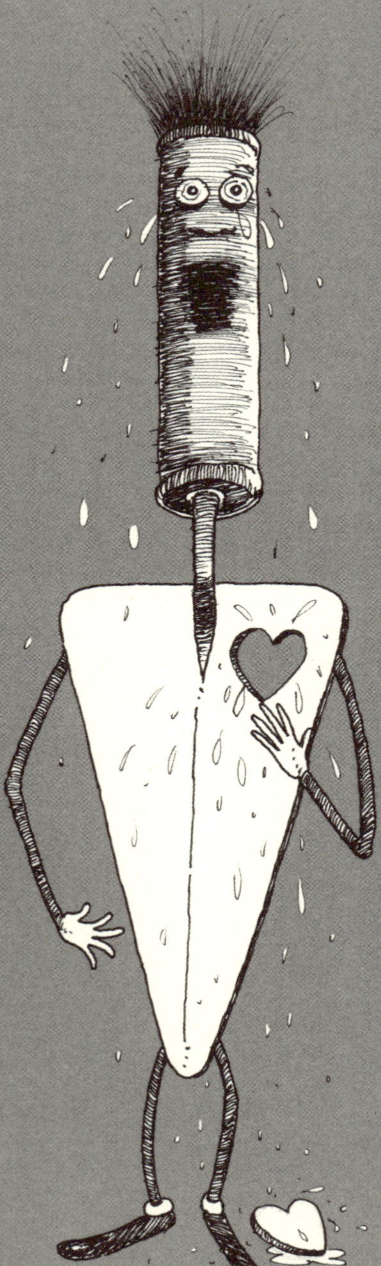

Pedreiro

A vista anuviada pelo cansaço, roupa barrenta, chinelo de pneu, dedos das mãos travados, pernas inchadas, a pele áspera e suarenta do cimento, areia, brita, baldes d'água, enxada, pá, mistura, tijolos, carrinho de mão pesado... rotina, anos a fio.

Quantos janeiros de vida nessa labuta? Perdeu-se na idade. Bestagem.

Segue andando sem ritmo, tropicando aqui e acolá, um dia a mais de volta para casa sem um real no bolso, nem o trocado da van, sequer o da 'pirigueti', nem pra um pacaia, o juízo azoando: E o biscoito que Tuninho pediu e de que tanto gosta? E o pão de Teca, a patroa? Terá ela feito um angu com o que restou daquela farinha de milho? A barriga roncou. Preferia um cuscuz na mesa, mesmo sem a manteiga.

Tenta apressar o passo, quer chegar antes que anoiteça porque faz medo passar por aqueles becos no escuro. Terá chegado água no tanque para um banho frio de corpo inteiro? Os pensamentos giram na cabeça zonza... Teca, a nega amada, anda tão emagrecida, descarnada, a bunda ficando chulada... Terá sido a labuta da casa, as consumições com o danado do Tuninho, ou o de mamar que continua dando a filhota Lia? Ah, o riso de Lia, uma benção de Deus!

Olhou para o céu agradecendo a divina graça da caçulinha e suas vistas escureceram. Sentiu-se tontear como se tivesse bêbado, as pernas bambeando, a carnes tremendo por dentro, o cheiro de fumaça das descargas entrando ardido, sufocando, o barulho dos veículos que passam rente surdeando as ideias, a escuridão, a escuridão... o breu do desconhecido lhe tomando por inteiro: o corpo, a mente, os sentimentos, a alma.

– Não, não quero deixar minha Teca e os meninos no desamparo não.

O chão duro, o baque do corpo amolecido.

Na sombra daquele entardecer o tempo adormeceu.

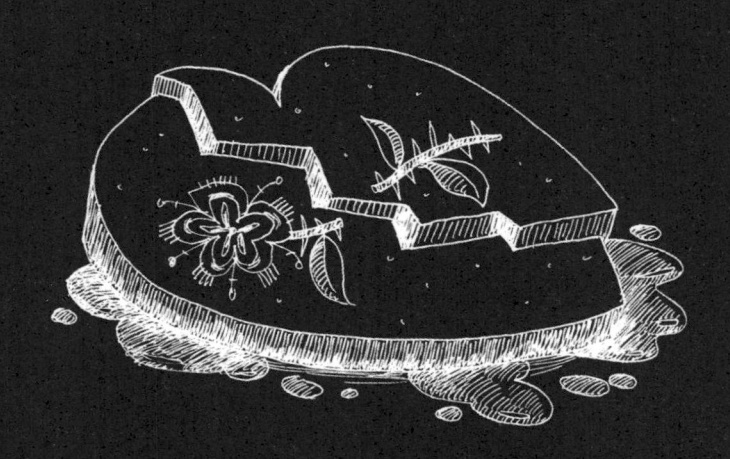

48

Zefa da Trouxa

O adendo ao apelido vem dos tempos em que nem gente direito era ainda mas já carregava trouxas de roupa na cabeça em adjutório a sua mãe, lavadeira e passadeira de ofício até por outra coisa não saber fazer na vida, que Deus a tenha. Zefa herdou a profissão materna por circunstâncias da sobrevivência, emprenhada aos 15 anos, sem ao menos completar o primário, nenhuma perspectiva de ganhar trocado honesto naqueles brongos do Bom Juá, precisando dividir a freguesia com a velha já alquebrada, cheia de reumatismos e a infeliz da pressão alta que a derrotou na beira dos cinquenta.

Mesma idade que agora Zefa está, pernas arqueadas mas fortes, corpo de cabocla atarracado, lenços coloridos sempre a cobrir os cabelos... 'ói eu já tou é uma trouxa véia', diz de sí com riso desdentado. Mas com trouxas na cabeça pra lá e pra cá, de buzu ou na paleta a subir e descer ladeiras criou três filhos, dois meninos e uma menina, essa a mais nova, que é sua consumição. Isso, é bom que se diga, sem precisar de dinheiro de homem nenhum, cruz credo, 'qui home pobre né coisa que preste'. E ainda hoje ajuda na criação dos netos, cinco, a mais nova uma menina de três aninhos, muito precisada dessa avó.

Não reclama da vida. Lembra da infância em São Francisco do Conde, uma penúria, café preto, muito marisco papa-fumo e farinha na mesa. Fala sem queixas dos tempos da lata d'água na cabeça, das bacias cheias, do esfrega-esfrega com sabão massa, sabão azul ou de coco a depender do tecido e das 'recomendação dos branco', do anil, da quaração nos varais de corda ou de arame (os cuidados com a ferrugem), as enxaguadas, as peças estendidas na sombra ou no sol, as vistas nas nuvens de chuva, a separação, o ferro de passar antigo a carvão, no assopro e no abano para pegar quentura, a engomação caprichada, a arte de dobrar cada pano com toda ciência e de amarrar a trouxa com jeito para a roupa não chegar amarrotada na casa da patroa ou do patrão, lá ele, porque nunca gostou dos nomes 'patrão' e 'patroa', desde menina, sua mãe sempre lhe disse para nunca trabalhar como doméstica porque era escravidão pura, ser 'mucama de barão e de baroa' jamais, questão de honra, nunca precisou baixar cabeça pra patrão nem nunca foi mandada por patroa nenhuma, com as graças de Deus, e assim será.

O grande percalço da profissão de lavadeira e passadeira, hoje em dia, vem ser a freguesia, cada tempo mais rareando desde o advento dessas tais máquinas de lavar 'que não lava direito, não tira o encardido do sovaco'. E sente a falta de espaço ao redor do barraco para uma coração e uma secagem decentes. Em compensação, lembra, tem água na torneira, tanquinho de cimento, alvejantes potentes e ferro de tomada 'que já vem cuspindo aguinha e engomando na passada'. Isso ajuda e minimiza as agruras e o peso da labuta.

Diz que procura fazer tudo direitinho, como a mãinha ensinou, e é com esse cuidado que mantém alguma freguesia das antigas, pessoas fiéis, que não iriam trocar nunca a mão da Zefa da Trouxa por essas máquinas que, segundo ela, só fazem gastar energia, aumentar a conta da luz. E mostra as mãos... firmes mas estropiadas pelos anos de esfreganças, uso abusivo de sabões em barra e em pó, detergentes e muita água sanitária, 'essas quiboa de hoje é uma desgraça'.

Zefa costuma trabalhar ouvindo rádio, gosta de 'arrocha, sertanejo e música de São João' e só quando descansa olha a tevê.

Uma confidência: Sussurrando confessa como aprendeu a descobrir os segredos das pessoas pela roupa que lava, os escondidos que carregam as trouxas. Cada mancha tem uma revelação, diz. As de comida e de bebida, os mucos, as nódoas, o sangue, a lama, o xixi, o suor, as borradas, o mofo, os cheiros.

'A gente termina lendo a vida das pessoas na sujeira das roupas', partilhando de hábitos, acontecidos e intimidades. Fica sabendo se teve festa, o que comeu, se menstruou, adoeceu, foi à praia, usou perfume, teve piriri, pulou o cercado... 'As trouxa chega cheia de novidade', rí. Mas jura que guarda tudo para sí, pois 'não é assunto pra se comentar com ninguém, viu?' De algumas 'clientes' tornou-se até confidente e conselheira, se é que pobre possa dar algum conselho a quem muito tem e sobra.

Zefa da Trouxa não é trouxa. Aprendeu a tirar sabedoria do lodo. Lavando sujeira.

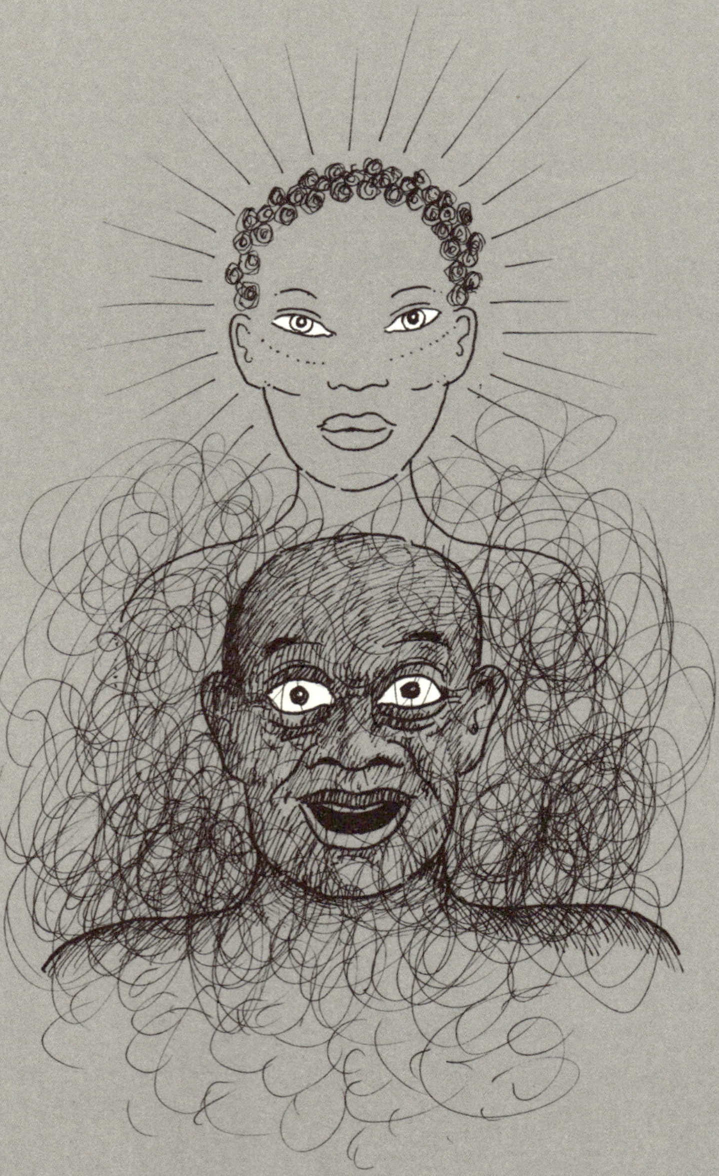

Malingo

– Zenga, Zenga! Que foi que aconteceu c'ocê? Onde cê tá, Zenga?

Era só o que repetia Malingo na boca da morte.

Só compreendia aquelas perguntas em lamento, em ladainha do preto angolano quem sabia de sua aventura vivida.

Fora apanhado na mata de sua aldeia, do outro lado do mundo, junto com a Zenga amada, bem jovens. Ambos metidos a ferros num navio negreiro. Nunca tinham avistado o mar. Te esconjuro tumbeiro medonho, abarrotado de gente desesperançada, miserê e fedor. Choro, ranger de dentes, enjoo, chicote, correntes...

Pior foi a desgraça da separação para sempre da sua Zenga, ao aportar, não sabia onde, apodrecidos, sem noção do que seria o viver de cada um dali em diante, todos arrebentados de tristezas e maus tratos nunca imaginados.

Assim contava Malingo, olhos embaciados de quem no além procura...

Daqueles infindos dias no sofrer dos porões restou o cheiro de sangue, mijo e bosta que nunca lhe saiu das narinas. Tossia e fungava de nojo sem parar, tique nervoso, como se quisesse cuspir ou vomitar aquilo tudo de ruim impregnado no corpo, encardido nos sentimentos.

E o tormento dos gritos da Zenga ecoando doído dentro do juízo para sempre. Noites de escuridão, a última imagem dela ainda inteira, feito miragem, os seios de fora, roupas rasgadas, berros de desespero... Ali, o vulto dela desaparecendo naquele mundaréu esquisito, arrastada feito bicho rebanhado, sumindo num magote de criaturas sem nome, sem destino. Era mais que saudade lacerante, mais que banzo, mais que tudo de dor, um amargor ardido.

Aquilo, de Zenga, estragou o juízo de Malingo. Sem Zenga, vida pra quê?

*

Era um negro robusto, contam, bom fazedor de mandados, respeitador, eficiente carregador de sacos e balaios no cais do porto, na Rampa do Mercado, nas feiras, fiel, quase um cão sem dono em roupas de algodão cru imundas, a receber algumas patacas de agrado por serviço feito, sem sequer saber o valor delas porque nada lhe importava o possuir e perdera há muito a noção de tempo, quereres, espaço, valores...

Costumava andar sem rumo desde os primeiros rasgos da luz no azul a perguntar mil vezes ao léu: *Cadê Zenga?*, como que endoidecido, a subir e descer ladeiras, espiando pelos matos, ruas, terreiros, roças, quintais, pelas portas alheias, uma agonia de dar dó. Criança tinha medo dele, mas o coitado não fazia mal a ninguém.

Com o passar dos anos ficou nos ossos, envelheceu precocemente, restando por aí nos descaminhos, ja sem serventia mais pra coisa alguma, comendo restos com os cachorros, alguma sobra de caridade, raspas de feira...

Zenga... nunca mais. Aonde?

Ela fora seu sonho, um tudo. Aquele sumiço lhe garroteava, entalava a goela, o nada saber dela lhe soterrava a alma; carrego dos infernos, tormento sem fim.

Malingo já não mais sabia falar outra coisa, só insistia, perdido, em perene agonia: *Cadê Zenga, que aconteceu, onde cê tá, Zenga?...* E a voz rouquenha foi sumindo, sumindo até apagar de vez, incerto dia, numa esquina escura, perante umas três pobres testemunhas sem ter como acudi-lo.

Morreu sem saber.

Quem sabe no desconhecido do depois Malingo tenha descoberto o paradeiro dela...

Quem sabe tenham se encontrado no além sem fim do Orum, perante o lume do Criador?

Ah, Zenga de Malingo, Malingo de Zenga, filhos de vó Angola.

Um amor de morrer!

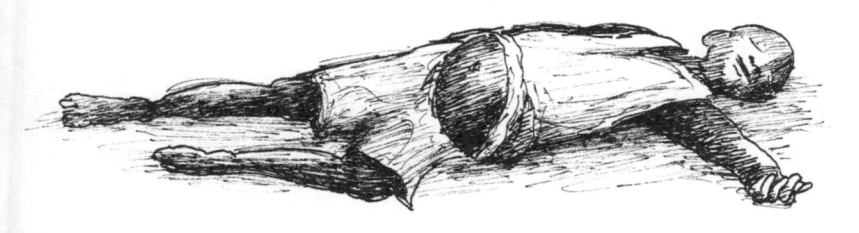

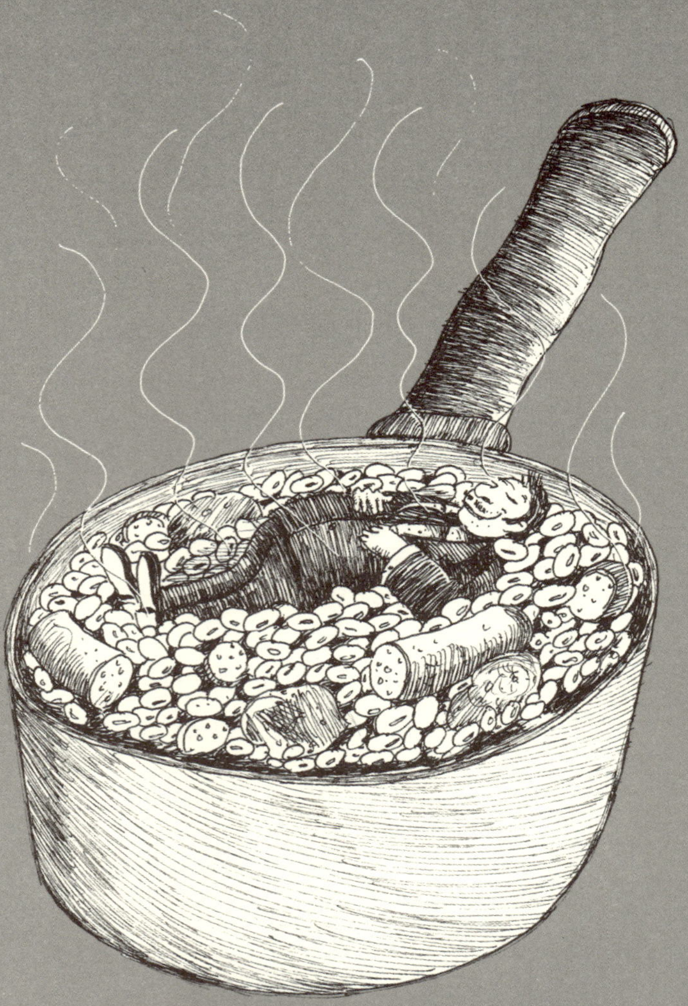

Fastio

Neneu nasceu bom de boca. Mamou, bebeu, comeu de tudo com prazer. A mesa farta foi seu sentido de viver, 'vivo pra comer'. Comer significava tudo, só alegria.

Gordo e idoso, porém sadio e ativo, foi ao médico. Queria saber quanto lhe restava de vida. Exames feitos, o médico decretou: 'nada de açúcar, sal, massas, gorduras, laticínios, enlatados, bebidas'...

Saiu do consultório um trapo, 'que há de ser de mim'? O coração não suportou o baque, fastio de vida.

Nem precisou emagrecer. Morreu de repente, 'causa ignorada', atestou o doutor.

Rabada e maniçoba no velório. Madrugada de casa cheia, ceia a gosto.

– Tio Neneu já comeu – repetia a sobrinha, pra lá e pra cá, sem sono.

Neneu já dormia, saciado.

Pra sempre.

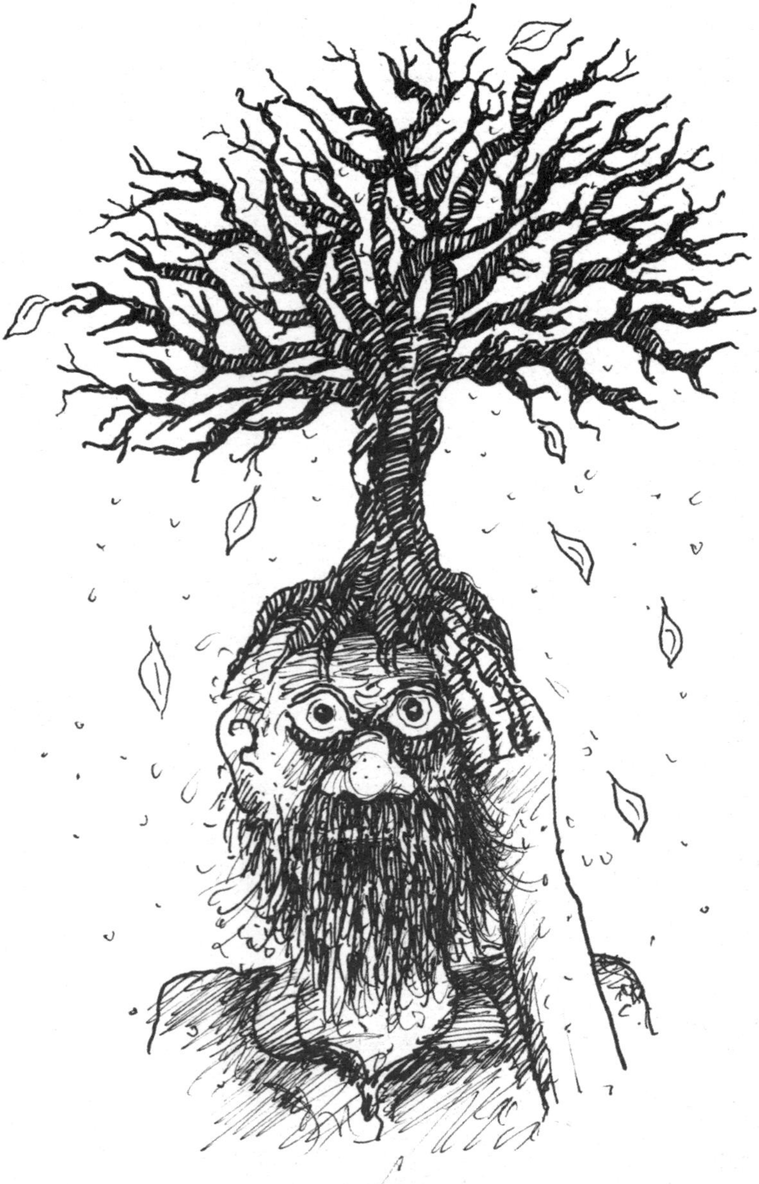

Sem Nome

Mora no oco do toco do tronco
da árvore da avenida que morreu
com os galhos esturricados.

Mãe se foi, pai mal conheceu
Irmãos, dois, deles mal sabe
Mulher não mais lhe quer
e os filhos nem lhe reconhecem.

Deve ser a barba pelo tempo tingida
Toda branca, crescida...
Aparência abatida, doidice assumida.

A negação das coisas desse mundo.

Sua casa é um oco de pau
De onde se vê as águas do Dique
e a Fonte iluminada no eco do gol.
No mais, o barulho dos motores,
a buzina, o uivo dos ventos, a chuva fria...

Como roupa usa aquilo que lhe cabe
Papelão de cama e cobertor mofado
Fogareiro de lata e um de comer qualquer.
Pouco fala, não ri, os olhos no nada além.

Caminha sem destino
quando as pernas pedem
e os pensamentos querem voar

Mas sempre volta ao abrigo
O oco do toco do tronco da árvore
... morta e esquecida na avenida.
Morada dessa oca vida
Caminheira.
Solitária.

– *Seu nome?*
– *Não sei. Perdi o meu nome.*

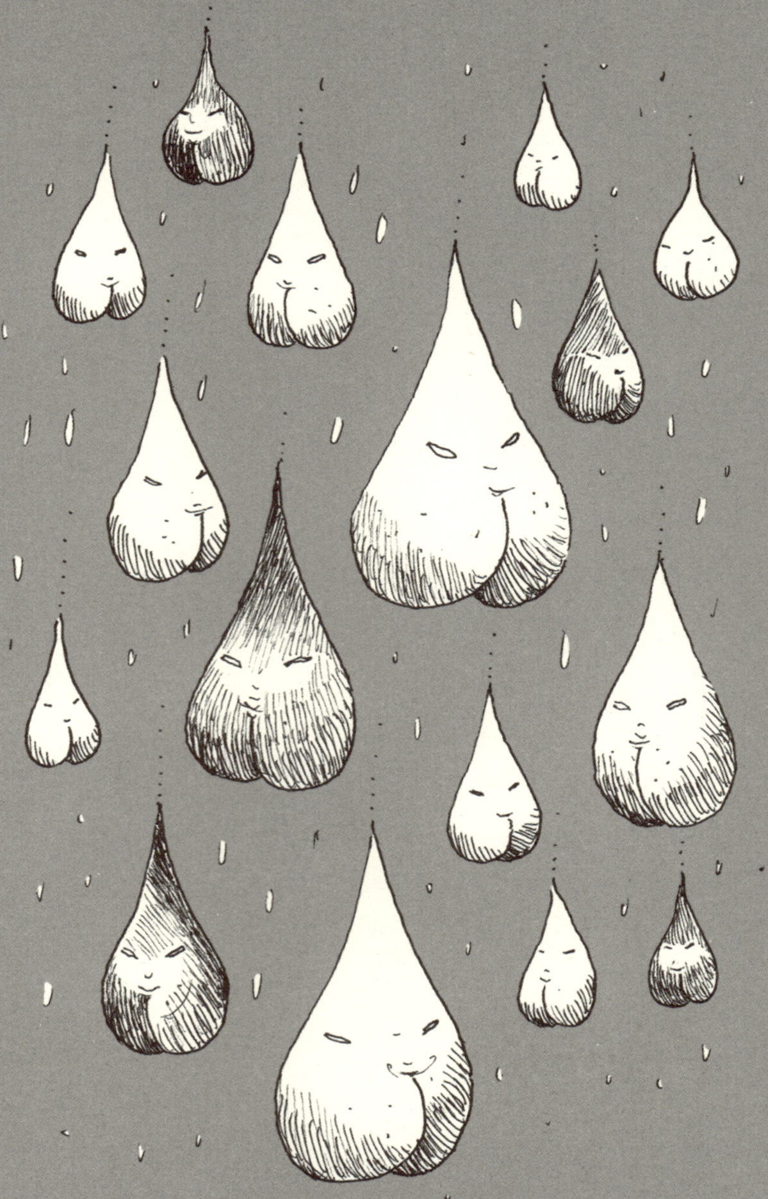

Pingos urbanos

I
O Voo
Atirou-se do sétimo, corpo estendido.
Escondera de todos aquela avassaladora paixão.
A cada encontro, um voo ao desconhecido.

II
O pingo
Um pingo de sangue só, no chão, ao lado do corpo miúdo, após o baque.
Trânsito parado, olhos curiosos voltados para aquele pingo de gente sem identidade.
A vida, um pingo.

III
A perdição
Viu-se perdido na rua ao levantar a cabeça, após a topada.
Tempão caminhando de olhos fixos no movimento hipnótico daquela bunda desconhecida.
Perdida paudurescência.

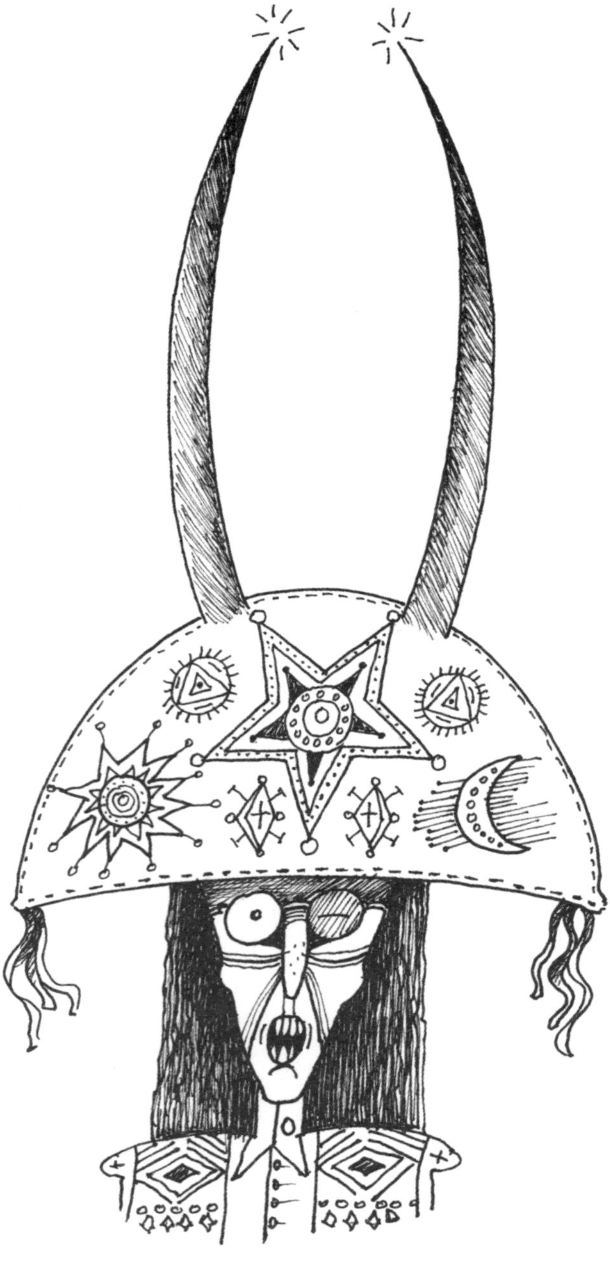

Lampião

Antero nunca mais foi o mesmo, depois daquele encontro. Passou dias, semanas sem dizer palavra, a fala engasgada, ninguém a saber o porquê. Envelheceu. Virou um mão aberta, nunca mais soube dar importância a ter, a ganhar dinheiro, e foi se desfazendo de tudo o que possuía, à toa, num desengano de tudo, um desamparo sem fim.

Estranho encontro...

– Que estrupício de encontro teria sido esse?

Só ele mesmo saberia e veio depois contar o que de fato se passou de tão grave assim.

Logo percebeu-se ter sido coisa muito séria, porque Antero era muito reto e sempre fazia tudo nos conformes, de jeito previsível. Contudo, naquela ocasião, ele saíra de casa como sempre fazia de quinze em quinze aos sábados pela manhã bem cedinho para ir à feira na cidade de Simão

Dias, zona da mata de Sergipe, seis léguas distante do Engenho Velho, onde morava com a família, a mulher, três filhos homens já ficando taludinhos e uma menina de seis anos... *Entonces*, como vinha dizendo, inusitadamente naquele dia Antero não voltou, não chegou a tempo, na boca da noite como era de costume, com os alforjes do cavalinho de montaria cheios e os caçuás da mula de carga, que atendia pelo nome de *Compreta*, abarrotados de mercadorias trazidas para o consumo da família inteira e também por um ou outro favor prestado, a pedidos ou encomendas de algum vizinho.

Naquele sábado esturricado de verão, em plena seca de trinta e dois, a demora de Antero foi se alongando como a réstia da luz poente por trás da serra da Miaba, espichando-se feito a sombra da noite sem lua que tudo foi agasalhando e, a cada minuto de espera, mais apertava o nó na garganta dos que estavam à espera da pobre criatura.

Os olhos da esposa e dos meninos, agoniados, já ardiam, por um tempão perdidos a fitar o sem fim da escuridão, todos os ouvidos, os sentidos acesos...

Porém, o tempo escorria lento e nenhum bater de cancela, nenhum paticum de casco de animal no oco do mundo. De barulho no *escuridéu* infindo somente o coaxar dos sapos e das jias, o zinir de cigarras, o canto lá pra longe das cauãs, os agouros das corujas e os piados de outras aves da caatinga rasgando aquele silêncio morno, o mugido aqui acolá da vaca magra leiteira de nome *Muderna*, o berro carente de um ou outro bezerro e o tititi das galinhas se agasalhando nos poleiros. No mais, as horas leitosas passando arrastadas.

A esposa de Antero, Maria Corízia, mais conhecida como Dona Barreta, já aflita e antevendo coisa ruim, gritava descontrolada pros filhos acenderem os fifós, botar lenha do fogão e rezar umas avemarias e padre-nossos com jaculatórias na intenção de o pai chegar logo, com fé em Deus, trazendo a carne fresca pra cortar, separar as porções de moquear, por o sal grosso e pendurar na corda do telheiro dos fundos, onde batia o sol da manhã e... Senhora do Amparo, por tudo que há de mais sagrado, vindo logo assim aliviar todos daquela angústia, pois que nunca haviam padecido de uma inquietação tão medonha assim apertando o peito. Orava.

– Vige, minha Nossa Senhora, cadê esse home que num chega? Valhei-me! Que diabo foi que aconteceu, nunca antes essa criatura se atrasou assim desse jeito, meu coração tá é disparado, sabendo que coisa boa acontecida não foi, nos livre e guarde o Senhor, protegei esse home do pior, com fé no Senhor Morto e no Criador que nos deu a luz, amém!

E nada.

Lá pra noite alta, beirando a madrugada, Dona Barreta, que não era de alisar, já tinha distribuído uns tapas nos 'minino' pra se aquietar, parar de choramingar e de fazer pergunta, não ficar atazanando mais ainda o juízo já atormentado dela. A menina, mais nova e apelidada de Zuite, num canto acolá a gemer e a chorar baixinho de medo e dor por não saber se a estranha escuridão daquela noite de padecimento iria acabar, enquanto que os três outros irmãos, mais taludinhos, postavam-se calados a meia distância da mãe, espiando longe e comprido, prontos a atender mais do que depressa os chamados e as ordens daquela mulher magra e autoritária, à beira do desespero, "o que seria de nós todos sem a presença e o amparo daquele homem?".

※

– Escuta, escuta... será, meu Deus do céu!...

Do oco do ermo daquele negrume sem fim, vindo lá do adiante bem distante, ouviu-se uma pancada de cancela, aquela primeira cancelinha velha barulhenta que ficava no caminho da passagem da roça de comadre Mira, um pedaço de chão antes de uma outra cancela maior que já ficava mais perto, na divisa das terras cercadas da roça de propriedade da família dos Barreto. O bater dela era seco e bem reconhecido àquela distância pelos ouvidos mais apurados, ecoando no silêncio daquela amargurada noite.

*

Barreta, católica fiel e pecadora que naquele instante balbuciava uma reza qualquer diante do oratório da sala implorando clemência a todos os santos de sua devoção, correu feito uma doida varrida para abrir a tramela da porta e foi saindo terreiro afora com um candeeiro na mão, a filharada atrás apurando os olhos nas brenhas das trevas pra distinguir algum vulto se mexendo no escuro profundo. Os minutos de expectativa pareciam uma eternidade.

– É, parece que vem alguém, como se fosse um home véi se arrastando, mas quem será?

– *Num pode ser papai... cadê os animá?*

Silêncio. Nessas horas é que a gente tem noção de como o tempo passa devagar na aflição da espera.

O vulto aos poucos foi virando gente... Já dava pra distinguir: era mesmo um homem que vinha de lá alquebrado e lento na direção da casa... o vulto daquele estranho homem que vem vindo e então para, como que perdido, na cancela bem defronte...

– *Pois num é Antero? Valha-me Deus, o que poderá ter acontecido, pelo Santíssimo Sacramento?*

Sem mais espera, correram todos breu adentro desembestados na direção do coitado do homem que trupicava nas pernas como se tivesse tomado uma surra de cacete, apenas trajando um roló de couro cru nos pés, uma ceroula de pano de saco amarrada com cordão na cintura e um chapéu de palha cobrindo-lhe a cabeça. Tinha o queixo caído, o olhar baço, o tronco encurvado, um trapo, acabado, deslembrado... coitado.

E mudo. Como se nada ouvisse e de nada se desse conta nesse mundo.

– *O que foi, home de Deus, conta em nome da Virgem Santa, conta! Pelo Sagrado Coração de Jesus, o que sucedeu, home?*

Nada! Nem um ai era de se ouvir na boca de Antero, nem um suspiro, nenhum gesto, nem um olhar indicando um rumo de pensamento, nada.

Aquele Antero que ali aparecia acabrunhado e distante era uma criatura desfalecida, diferente daquele homem ativo, trabalhador e determinado que saíra de manhãzinha de casa. Esse, agora, era um ser arriado, cabisbaixo, desonrado e corroído por uma tristeza de fazer dó. De modo que somente ele tinha ciência e guardava no silêncio e no alheamento a causa de tamanha desdita.

Pra se achegar de vez em casa, precisou ser quase que arrastado para dentro pela mulher e os filhos que, perplexos, choravam e punham-se todos a gritar:

– *Papai, papai, fala home, conta pelo amor de Deus... o que sucedeu!?*

E nada.

Do pai e marido Antero não saía um ai, um sinal, nem uma lágrima. Era só aquele olhar de desamparo no vazio, como se tivesse ficado maluco, surdo, mudo, desmiolado.

– Santa Mãe de Jesus, terá sido atacado pelo lubisone, um bicho brabo, por um espírito maligno, por uma alma doutro mundo?

...Mas pra quê mermo essas coisa ruim estranha iria querer roubar os animá, as mercadoria e até as roupa do pobre coitado?

...Mas se num é coisa de satanás foi arte de gente do cão, de bandido, ladrão...

...Mas ladrão por essas bandas, nunca se viu contar... hum!

– A não ser os bandido cangaceiro, os bando de Lampião ou os miseráve das volante, que é tudo ainda pior que o desgraçado do Virgulino, cabra da peste, fio do cabrunco, cruz credo, que Deus nos livre e perdoe!

– Será?

Pois foi, sim.

※

Dias sem fim foram se passando e nada de Antero reagir. Emagreceu, prostrado numa rede, de sorte que até já parecia um esqueleto entregue, à espera da morte. De nada adiantavam os parentes, vizinhos, os compadres e as comadres em volta, ajudando, fazendo promessas a todos santos do céu, oferecendo chás, tentando fazê-lo comer umas colheradas de coalhada da despensa, um cuscuz de milho verde ralado na hora, ora um ora outra limpando, ajudando a estonteada comadre Barreta no possível e no impossível. E vinham as rezadeiras conhecidas a bater folhas e fazer orações todo santo dia, no amanhecer e no por do sol, as folhas sagradas murchando durantes as rezas por causa de tanto encosto e mau olhado. Até que, aos poucos, quase que aos soluços, como se dizia, Antero foi restaurando o entendimento, já se via no olhar se alumiando, e no esforço que fazia para conseguir articular algum pensamento, aqui e ali balbuciando alguma fala, dando sinal de ainda querer viver.

*

Daí que, um certo dia, pra surpresa da mulher e dos filhos, das comadres Honória, Pureza e do compadre Filomeno, todos ali na sala esperando a chuva forte que não caía, mesmo com os raios e os roncos bravos da trovoada varando as nuvens do céu, Antero desentalou de vez, destravou a fala e conseguiu, enfim, para arregalo de todos contar o sucedido.

Os presentes todos postaram-se de frente para ele, avexados em saber. Velhos, mulheres e crianças de butucas acesas, na curiosidade daquela história de espanto para os que viviam por aquelas bandas esquecidas da Salobra e do Pombo, uma gente que jamais seria a mesma depois daquelas revelações, pois nunca mais saberia o que era paz de espírito ao ficar ciente do verdadeiro ocorrido com o compadre Antero, 'tintim por tintim', uma história que ganhou eco, que virou 'causo' e assim foi repassado e recontado de casa em casa, de boca em boca, de roça em roça, de bodega em bodega, de tal forma que até os bichos caseiros já sabiam de cor tudinho do sucedido, de tanto escutar os relatos que a cada vez contados e repassados adiante eram mais ainda enriquecido de detalhes... geração a geração, enfim, e tempos afora até o hoje e o amanhã.

Como se suspeitava, foi mesmo o filho do cabrunco da peste do malvado do Lampião que, acompanhado de alguns cabras de seu bando, largou o pobre Antero naquele estado.

✳

Bem como dizia o povo, o capitão cangaceiro Virgulino Ferreira Lampião parece que tinha parte de vera com o cão, o satanás chifrudo, como se haveria então agora de constatar com todos os effes e erres a partir desse 'causo verdadeiro' vivido pelo desditoso Antero, uma criatura de bom coração, filho e credor de Deus e da Virgem Maria, cantador e rezador das novenas de Santo Antônio e de Santa Luzia, um cidadão reconhecido em toda a redondeza, prestativo e fazedor do bem, como se falava aos quatro cantos.

Pra bem da verdade, há algum tempo já se comentava que os cangaceiros de Lampião andavam circulando, espalhando medo e até se acoitando e fazendo estripulias por aquelas bandas de sertão brabo entre Bahia e Sergipe. Corria notícia de suas passagens e paragens pelos municípios e localidades de Jeremoabo, Euclides da Cunha (Cumbe), Bonfim, Uauá, Glória, Campo Formoso, Paulo Afonso, Itiuba, Curaçá, Chorrochó, Cícero Dantas, o Raso da Catarina, Carira, Pião, Lagarto, Boquim, Paripiranga, Capela, Frei Paulo, Santa Brígida, Canindé do São Francisco, Queimadas, Cansanção, Simão Dias... Era isso tudo uma região caatingueira dos infernos onde, segundo se historiou, Lampião e seus bandos de cangaceiros vieram se entocar e devassar com suas fugas, achaques e diabruras a partir do ano de 1929 até o fim, em 1938, quando em Angicos, no sertão sergipano, o capitão Virgulino Ferreira foi atraiçoado, morto e degolado por umas tropas do governo que já andavam no seu encalço.

✳

O fato é que as histórias assombrosas do 'cabra cangaceiro amasiado com o tinhoso' corriam aquele mundão esturricado de Deus pela boca de um que tinha sabido, de outro que tinha ouvido de fulano, de cicrano que teria visto os cabras passarem e se cagou todo de medo...

E eram relatos medonhos dando conta de cangaceiros, jagunços e macacos das volantes que arrastavam mulheres pra se servir delas no mato e apunhalavam até criancinhas de colo, de atos cruéis de vingança contra os que delatavam a passagem dos bandos e apontavam o rumo daqueles filhos de desgraceira, de um lado e de outro, e que falavam de criaturas indefesas traspassadas na ponta do punhal só por pura malvadeza, de outros que tiveram dedos e mão cortadas a facão, de bicos de peito arrancados, de cabras machos frouxos que viram seus pintos e bagos cortados a fio de faca e alguns morriam se esvaindo em sangue nas praças e feiras pra que todo mundo tomasse como exemplo, e inúmeros casos de tocaias, tiroteios, chacinas, perseguições, disputas e duelos a bala e punhal, resenhas do horror que cangaceiros e volantes do governo provocavam em pequenas cidades e povoados para que as pessoas entregassem o destino do capitão Virgulino Ferreira, o Lampião, o rumo do Corisco 'diabo louro', do garoto Volta Seca que brincava de satanás, do miserê de Labareda, do malvado Zé Baiano, de Asa Branca ou de qualquer um dos integrantes dos bandos de demônios, Deus nos acuda, que assombravam até os pés de juás, mandacarus, xique-xiques, palmas e macambiras com seus espinhos, e eram piores e mais venenosos que centenas de cascavéis, jararacas e jararacuçus malhas de sapo juntas e enfezadas...

Assim se dizia e se contava mundão afora desse Brasil sem dono, anos a fio... *Êita* nordeste sofrido da moléstia, de seca, fome, injustiça e sangue!

As andanças e desmandos dos cabras, jagunços e volantes era o assunto, era só o que se ouvia naqueles tempos de estiagem medonha, relatos em volta dos balcões e tamboretes das bodegas, entre talagadas de pinga crua, nas rodas de farinhada, nas feiras, nas festas de reizado, nas rezas de oratório, nos mutirões das feitas de fumo, nas levadas dos tropeiros, carros de boi, entre as labaredas das coivaras e até nos acompanhamentos de enterro animados pelos tocadores de *pife* (pífanos) e de zabumba – todos a pé, no buxixo, de casa até a Santa Cruz onde se reza e se encomenda os mortos por essas bandas do sertão...

O pavor do cangaço se espalhou que nem praga de gafanhoto, de roçado em roçado, sertão a dentro.

※

Fim de mundo, Deus meu, maldades tantas, crueldades que se tornavam epopéias, diversão e tormento de coronéis e roceiros, das velhas, das moças e sobretudo da criançada com os olhos esbugalhados assuntando cada exclamação, cada reticência, cada ponto e vírgula das conversas, assustadas e interessadas, as carnezinhas estremecendo por dentro, as bocas abertas, a baba caindo e a imaginação galopando por essas estradas sem rumo onde desembestam o medo e a vontade

de saber, a ânsia de correr atrás montado e ver de perto com os próprios olhos cada terrível acontecimento desses que eram contados e registrados no juízo feito fitas de cinema.
– *Vamo brincá de Lampião?*

✻

Apois então, sem mais querer cortar volta no assunto desse escrito, retomemos a prosa que interessa...

O que sucedeu de verdade naquele sábado jamais apagado na mente da gente daquele lugar é que Antero, que nunca fora de dar confiança a histórias de assombração e não tinha medo de coisa alguma que viesse desse ou de outro mundo, Antero soube de boa fonte na feira da rua de cima de Simão Dias, naquele dia fatídico, que Lampião e seu bando andavam rondando a região. Daí, então, imaginou que não seria seguro retornar para casa pelo caminho costumeiro, a chamada Estrada Real, por onde passavam os carros de boi, as tropas de burro e era a via principal entre a cidade de Simão Dias e os povoados próximos na direção da fronteira com a Bahia.

Seria arriscado dar de cara com o bando de Lampião, diziam na feira. E caso isso acontecesse, Deus livre e guarde, só mesmo o Criador, lá do alto, seria capaz de cuidar do destino da *desinfeliz* criatura, porque o capitão Virgulino seria mesmo capaz de tudo, como já se sabia e contava.

Antero, que conhecia aquela região como a palma da mão, pois ali nascera e vivera todos os dias de sua vida andando em lombo de cavalo, égua, burro, mula, jegue e carro de boi pra cima e pra baixo em seus afazeres de homem da roça, matutou: *Vou correr esse risco... pra quê?*

Assim, decidiu cortar caminho.

Ao invés de seguir pela estrada dos tropeiros, a Real, tomou o rumo de um atalho, um pouquinho mais longo, que passava por trilhas pouco conhecidas entre roças e fazendas que lhe eram familiares porque se dava bem com todos, gostava de uma boa prosa com quem topasse pelos caminhos, era um homem de paz, bom pai de família, fiel a Deus e nenhum mal lhe poderia advir, pois. Assim raciocinando, sentiu-se seguro.

Mas, nessa vida sem prumo, como se diz, sempre há de ter uns 'porém'...

Já do meio pro fim da tarde daquele sábado de boa feira, os caçuás cheios de vasilhas, pesos de carne de boi, peixinhos salgados pra variar a comida e servir com fava e farinha da boa, peças de pano, umas esporas novas, um colchonilho pra forrar a sela dura, sabonetes, linhas de bordar, dedais, duas agulhas de crochê, miudezas de toda sorte encomendadas pela mulher e pelas vizinhas comadres, tudo anotado e conferido com seus preços para prestar contas a todos na chegada, Antero tomou o rumo de casa, feliz da vida.

Saíra até um pouco mais cedo, porque os atalhos encompridavam um tanto o tempo da viagem e ele não era de atraso, gostava de chegar sempre na boquinha da noite em casa pra dar tempo de dividir os comprados e trazidos, depois fazer as contas dos gastos enquanto a mulher tratava as carnes e cuidava do de *comer* da noite pois a barriga roncava, a fome era grande, ele não costumava almoçar na rua, preferia pegar o pirão de casa, o café forte esquentado na chapa do fogão. Já imaginava poder esticar as pernas, espichado, a remoer o dia na cabeça e acalantar o sono pesado no balanço de sua rede com a pança quente e saciada.

Antero ia distraído matutando essas bestagens aprumado pelas veredas do chão duro empoeirado, apreciando o mato, as cercas, os roçados dos amigos... e já passava metade do caminho quando, na curva de uma picada no meio de um ermo tabuleiro, entre a malhada do compadre Bernardo Cadete, a fazenda de Zé d'Onofre – tio de Manezinho Onofre – e as serras das Miabas, ouviu o barulho de uma tropa que vinha em sentido contrário. Pelo trupicar dos cascos e pelas vozes que ecoavam na folhagem dos arbustos ressecados parecia um grupo de umas cinco a sete pessoas montadas.

Nem deu tempo de ter medo ou de se arrepiar. Mal diminuiu o trote da montaria, puxando prum lado pelo cabresto a mula *Compreta* com a carga, no instinto de assuntar direito quem vinha de lá, deparou-se cara a cara com aquele magote de homens de chapéu de couro virado na frente, todos armados de fuzis, espingardas, pistolas e punhais à vista, enfeitados e enfezados...

Sentiu as carnes tremerem por dentro e o sangue correr frio nas veias.

Pronto, era agora!

✵

Mal esboçou dar um 'boa tarde' para a turma do bando, dando passagem, e já se viu cercado. O caboclo magro, de óculos, era quem falava com voz mansa, mas como quem dá ordem:

– *Pensa que vai pra onde, assim?*
– *Venho da rua, fui pra feira e vou pra casa...*
– *Vai levando o quê aí nesse burro?*
– *Né burro não sinhô, é uma burra, uma mula. E tô levando umas compra, mercadoria pra casa, umas encomenda...*
– *Apeie do cavalo. Cavalinho bonito esse... é seu?*
– *É sim sinhô, tudo é meu...*, balbuciou Antero, descendo do animal de estimação.
– *Tem arma?*
– *Não sinhô, não uso arma, nem gosto de caçar... Minha arma é a fé em Deus...*
– *É corajoso! Vou precisar do seu cavalo e da burra com essas mercadorias...*

A essa altura faltou voz a Antero, que não mais conseguia olhar de frente para o cangaceiro e para os homens do bando que começavam a rir e fazer umas pataquadas...

– *Mas eu vou pagar por aquilo que levar! Tire as calça e a camisa! – determinou o comandante do grupo.*

Sem regatear, Antero tirou as calças de brim, o que tinha de melhor e que usava somente para ir à cidade em dia de feira. Tirou também a camisa que tinha comprado naquela tarde mesmo na lojinha de Luzinete, costureira afamada, porque a que vinha usando já estava puída e rasgando debaixo do sovaco, de tanto suor.

※

Apenas de chapéu, roló e ceroulas batidas, os cabras do bando danaram-se a dar risadas, mangando do homem, a essa altura apequenado e humilhado como nunca o fora em toda a sua vida. Um deles pegou as roupas, outro segurou o burro com o carregamento, um terceiro arrastou a montaria de Antero e um outro mais, que ficou todo o tempo com o punhal desembainhado na mão apontando, quase que cutucando o homem indefeso, deu um tropicão no coitado, lançando-o de cara no pó do chão...

– *Deixa ele! – ordenou o chefe, com frieza.*

Em seguida, meteu a mão num embornal que levava pendurado no ombro atravessado no peito e de lá apanhou algumas moedas, patacões de prata, sem olhar o valor e atirou no chão, quase sob as patas dos cavalos:

– Isso aí é pelo prejuízo. Diz que foi Lampião! E não olhe pra trás, seu cabra!

Dito isso, deu um eia! para o bando e todos dispararam trilha afora, uns dois mais à frente, no galope, e os outros em trote rápido... deixando Antero prostrado no chão, indefeso, sem força pra mais nada, as pernas amolecidas, as carnes estremecidas, o sangue a correr frio nas veias, a cabeça zonza, sem pensamentos, os olhos turvos, entalado de medo, sem saber como arranjaria sustança pra chegar em casa.

*

Passado algum tempo do estupor, quando mais não ouviu nenhum barulho do trote dos animais, nem mais sentia o cheiro perfumoso daquele bando de cangaceiros, Antero levantou-se aos poucos e começou a andar na direção de casa, tão sem noção das coisas que sequer apanhou uma só das moedas que o tal cangaceiro dito Lampião atirou no pó do chão como se fossem esmolas.

As pernas pesavam quilos e ele só imaginava que nunca mais conseguiria voltar para rever a família, tamanha tinha restado a sua alienação da realidade.

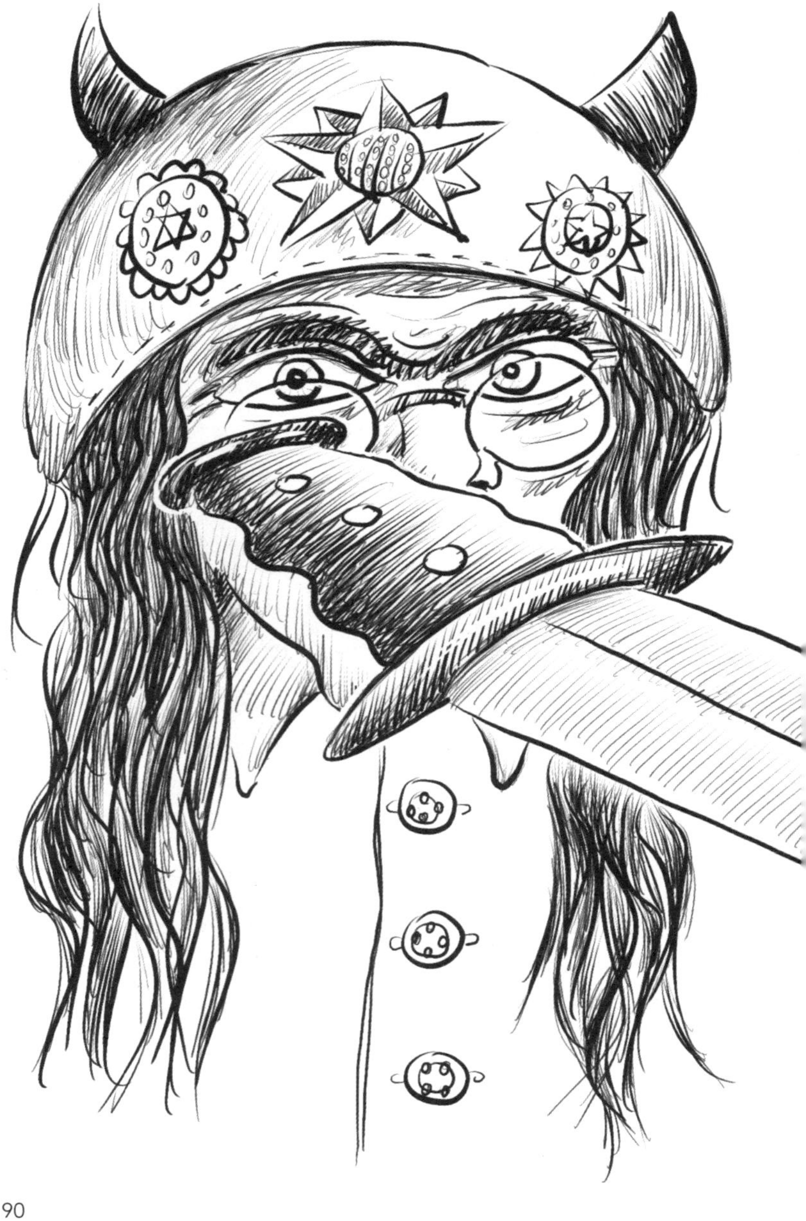

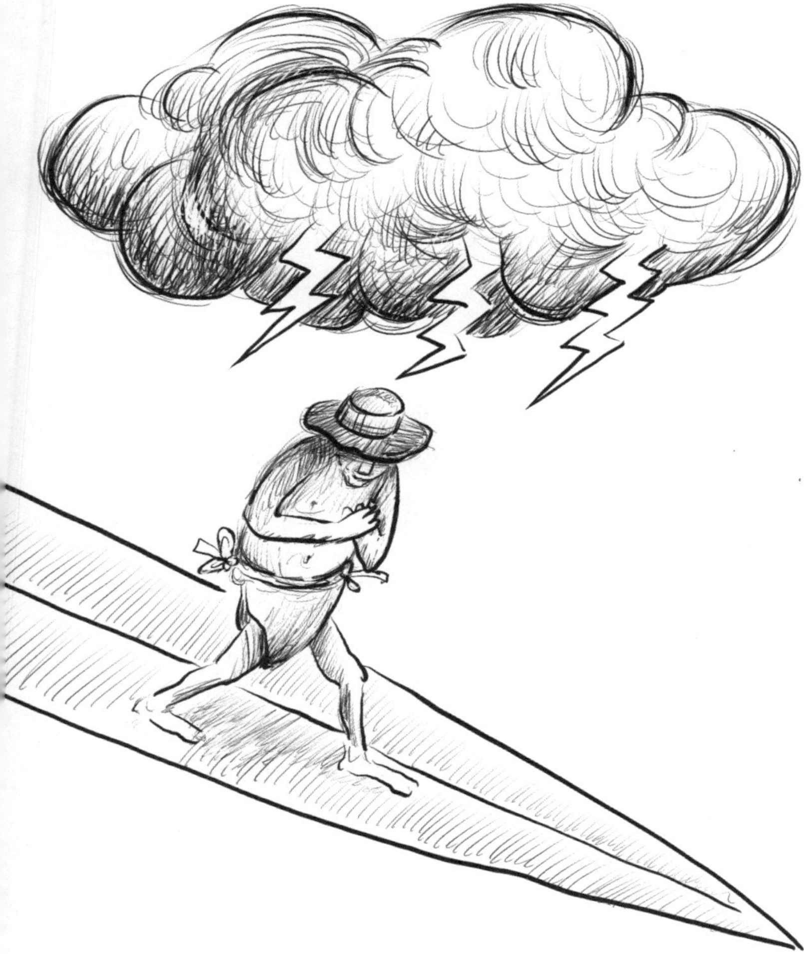

Era como se aquele homem magro de tez morena e chapéu de couro estrelado, perfumoso e todo enfeitado de armas, cintos, medalhões e anéis dourados tivesse mesmo parte com o demo. Antero sentia como se ele o houvesse maculado no mais íntimo do seu ser e tivesse arrancado, roubado de dentro e para sempre a felicidade de sua alma, só com aqueles olhos afiados e aquela fala macia, cortante como fio de navalha. Olhar de Lucifer!

Assim se passou.

✳

Ano e pouco depois do ocorrido, quando já todos tinham como garantida a total recuperação de Antero, até porque ele haveria de esquecer aos poucos o padecimento daquele vilipêndio sofrido, espalhou-se um boato de que Lampião e seu bando, encurralados e enfurecidos, estavam novamente rondando as fazendas e roçados da região, roubando tudo, levando os animais, estuprando mulheres, passando inocentes na ponta do punhal, matando e esfolando quem passasse à frente.

Foi a conta.

Antero, atarantado, arrebanhou mulher, filhos e entocou-se na mata próxima fechada, semanas e semanas seguidas, dia e noite, vivendo no meio dos bichos como se fossem índios de verdade sob a copa de algumas árvores, comendo frutas, folhas, caça e raízes, as roupas em frangalhos. Um desatino.

Pior. Antes de fugir de casa e sem que ninguém visse ou soubesse como, escondeu todas as economias – moedas, patacas, cédulas, tudo o que herdara de jóias da família de ex-senhores de engenho, donos de canaviais – origem dele e da mulher Barreta que era, aliás, sua prima carnal...

Assim, teria posto tudo dentro de três potes/botijas de barro e os enterrou, o mais fundo que pode, nalguns pontos do roçado onde morava, na intenção de impedir o saque dos cangaceiros e garantir o futuro da família.

✻

No mato passaram fome e sede, sofreram com as picadas de mutucas e micuins, e com o *difruxo, mode* a *friage* (traduz-se: defluxo por conta da friagem noturna). Foram semanas de muita tristeza, necessidade e pavor na selva.

Não fossem a obstinação, a coragem e a língua afiada de Dona Barreta, branquelinha de gênio forte, o alquebrado e amedrontado Antero não tomaria a tenência de voltar pra casa. Voltou, mas viveu aos sobressaltos e meio desgostoso pro resto da vida.

Lampião não passou por lá.

※

Antero, de tempos em tempos, atormentado e só com seus fantasmas, escavava o roçado inteiro... no entanto, jamais conseguiu encontrar, resgatar o seu 'tesouro' enterrado.

Na brenhas daquele sertão todos acreditam, até hoje, que satanás deu sumiço nas botijas.

Lampião tinha parte com o tinhoso, o demônio. Ora, se tinha!

solisluna editora

Este livro foi editado em setembro de 2017 pela Solisluna Design Editora, na Bahia. Impresso em papel pólen bold 90 g/m², pela Gráfica Viena, em São Paulo.